REFLEXIONES DEL
EVANGELIO
PARA CUARESMA

OBISPO ROBERT BARRON

con preguntas de reflexión de Peggy Pandaleon

WORD ON FIRE CATHOLIC MINISTRIES

www.WORDONFIRE.org

Introducción

Amigos,

Durante la Cuaresma, aprendemos de Jesús en su estadía de cuarenta días en el desierto. Nos quedamos obstinadamente con él, haciendo lo que hizo allí, enfrentándonos a lo que enfrentó allí.

El desierto es el lugar de la clarificación. Cuando hemos sido despojados de los deseos relativamente triviales que nos preocupan, podemos ver, con una claridad un tanto inquietante, quiénes somos esencialmente y qué es lo que más importa. Blaise Pascal dijo que la mayoría de nosotros nos pasamos la vida buscando *divertissements* (distracciones), porque no podemos soportar el peso de las grandes preguntas. Jugamos, chismeamos, comemos y bebemos, buscamos el entretenimiento más banal, para no tener que enfrentarnos a la verdad sobre nosotros mismos, a la realidad de la muerte y a la exigencia de Dios. El Espíritu empuja a la gente santa al desierto porque es el lugar donde las *divertissements* desaparecen: "Ayunó durante cuarenta días y cuarenta noches" (Mateo 4, 2).

Al final del ayuno del Señor, llega el tentador, porque la decisión sigue a la clarificación. Cuán a menudo en las Escrituras surge el tema de la decisión. Jesús mismo provoca la elección más dura: "El que no está conmigo está contra mí, y el que no recoge conmigo desparrama".

Entonces Jesús está listo para la misión; inmediatamente después de las tentaciones, reúne a sus discípulos en torno a él y comienza el ministerio que alcanzará su culminación sólo en la cruz.

Así que, en esta Cuaresma, resolvamos librarnos de las *divertissements*, pasando un poco de hambre y sed, vaciándonos, para que las grandes preguntas puedan ser formuladas con claridad. Permitamos que el diablo venga, tentándonos con el amor al placer, al ego y al poder, pues en la tentación viene la decisión. Y en el desierto, con Jesús Maestro, démonos cuenta de que también nosotros somos personas en misión, porque en la decisión viene la identidad.

Paz,

+ Robert Barron

Obispo Robert Barron

REFLEXIONES DEL
EVANGELIO
PARA CUARESMA

Miércoles, 2 de marzo de 2022

Miércoles de Ceniza

En aquel tiempo, Jesús dijo a sus discípulos:

"Tengan cuidado de no practicar sus obras de piedad delante de los hombres para que los vean. De lo contrario, no tendrán recompensa con su Padre celestial.

Por lo tanto, cuando des limosna, no lo anuncies con trompeta, como hacen los hipócritas en las sinagogas y por las calles, para que los alaben los hombres. Yo les aseguro que ya recibieron su recompensa. Tú, en cambio, cuando des limosna, que no sepa tu mano izquierda lo que hace la derecha, para que tu limosna quede en secreto; y tu Padre, que ve lo secreto, te recompensará.

Cuando ustedes hagan oración, no sean como los hipócritas, a quienes les gusta orar de pie en las sinagogas y en las esquinas de las plazas, para que los vea la gente. Yo les aseguro que ya recibieron su recompensa. Tú, en cambio, cuando vayas a orar, entra en tu cuarto, cierra la puerta y ora ante tu Padre, que está allí, en lo secreto; y tu Padre, que ve lo secreto, te recompensará.

Cuando ustedes ayunen, no pongan cara triste, como esos hipócritas que descuidan la apariencia de su rostro, para que la gente note que están ayunando. Yo les aseguro que ya recibieron su recompensa. Tú, en cambio, cuando ayunes, perfúmate la cabeza y lávate la cara, para que no sepa la gente que estás ayunando, sino tu Padre, que está en lo secreto; y tu Padre, que ve lo secreto, te recompensará".

Amigos, el Evangelio de hoy nos pide hacer tres cosas: orar, ayunar y dar limosna. Centrémonos hoy en la oración. Los estudios muestran que la oración es una actividad muy común, muy popular. ¡Incluso aquellos que no profesan una creencia en Dios rezan!

¿Qué es la oración y cómo deberíamos orar? La oración es una comunión y conversación íntima con Dios. A juzgar por la vida misma de Jesús, la oración es algo que debemos hacer a menudo, especialmente en los momentos claves de nuestras vidas.

¿Cómo deberíamos rezar? ¿Cómo es? Tienen que rezar con fe, de acuerdo con el modelo de Jesús, tiene que rezar pidiendo perdón. La eficacia de la oración parece depender de la reconciliación de diferencias.

Deben rezar también con persistencia. Una razón por la que no recibimos lo que queremos a través de la oración es que abandonamos muy fácilmente. Agustín dijo que Dios algunas veces demora en darnos lo que queremos porque desea que nuestros corazones se expandan.

Finalmente, tenemos que rezar en nombre de Jesús. Al hacerlo así estamos confiando en su influencia con el Padre, confiando en que el Padre lo escuchará.

REFLEXIONEMOS: ¿Qué puedes hacer durante esta Cuaresma para fortalecer tu vida de oración?

_____

_____

_____

_____

_____

_____

_____

_____

_____

_____

_____

Jueves, 3 de marzo de 2022

Jueves Después de Ceniza

LUCAS 9,22-25

En aquel tiempo, Jesús dijo a sus discípulos: "Es necesario que el Hijo del hombre sufra mucho, que sea rechazado por los ancianos, los sumos sacerdotes y los escribas, que sea entregado a la muerte y que resucite al tercer día".

Luego, dirigiéndose a la multitud, les dijo: "Si alguno quiere acompañarme, que no se busque a sí mismo, que tome su cruz de cada día y me siga.

Pues el que quiera conservar para sí mismo su vida, la perderá; pero el que la pierda por mi causa, ése la encontrará. En efecto, ¿de qué le sirve al hombre ganar todo el mundo, si se pierde a sí mismo o se destruye?".

Amigos, nuestro Evangelio de hoy desarrolla las condiciones de Jesús para el discipulado. Para todos nosotros pecadores, en diferentes grados, nuestras propias vidas se han convertido en dios. Esto es decir que, vemos girar al universo alrededor de nuestro ego, nuestras necesidades, nuestros proyectos, nuestros planes y nuestros gustos y aversiones. La verdadera conversión —la metanoia de la que habla Jesús— es mucho más que una reforma moral, aunque la incluye. Tiene que ver con un desplazamiento entero de la percepción, una completa forma de mirar nuestra propia vida.

Jesús ofreció una enseñanza que debe haber sido devastadora para su audiencia del siglo primero: "Si alguno quiere acompañarme, que no se busque a sí mismo, que tome su cruz de cada día y me siga". Los que lo escuchaban sabían lo que significaba la cruz: una muerte en absoluta agonía, desnudez y humillación. No pensaban en la cruz automáticamente en términos religiosos tal cual lo hacemos nosotros. La conocían en todo su espantoso poder.

A menos que crucifiquen su ego, no podrán ser mis seguidores, dice Jesús. Esta jugada —esta terrible jugada— tiene que ser fundacional en la vida espiritual.

REFLEXIONEMOS: ¿En qué área es tu ego excesivamente dominante? ¿Qué tienes que hacer para crucificarlo?

Viernes, 4 de marzo de 2022

Viernes Después de Ceniza

En aquel tiempo, los discípulos de Juan fueron a ver a Jesús y le preguntaron: "¿Por qué tus discípulos no ayunan, mientras nosotros y los fariseos sí ayunamos?" Jesús les respondió: "¿Cómo pueden llevar luto los amigos del esposo, mientras él está con ellos? Pero ya vendrán días en que les quitarán al esposo, y entonces sí ayunarán".

Amigos, en el Evangelio de hoy, la gente le pregunta a Jesús por qué él y sus discípulos no ayunan mientras que Juan y sus discípulos sí lo hacen. La respuesta de Jesús es maravillosa: "¿Cómo pueden llevar luto los amigos del esposo, mientras él está con ellos?". ¿Pueden imaginarse a personas ayunando en un banquete de bodas? ¡Sería ridículo!

Jesús dice más tarde, "Nadie echa vino nuevo en odres viejos". El vino nuevo es el Evangelio. El recipiente para este vino debe adecuarse a él, no al revés.

Para asimilar la Buena Noticia, no podemos vivir en el estrecho espacio de nuestras almas pecaminosas. No podemos tener una actitud pesimista. En cambio, nos arrepentimos y cambiamos el parecer que tenemos. Otra manera de abordar esto es decir que algo es inteligible sólo para un otro similar a aquel. Si Dios es amor, entonces solamente un alma que está encendida de amor lo podrá albergar adecuadamente.

REFLECT: ¿Cuál es el tiempo apropiado para el ayuno? ¿Cuál es el tiempo apropiado para el banquete?

_____

_____

_____

_____

_____

_____

_____

_____

_____

_____

_____

_____

_____

Sábado, 5 de marzo de 2022

Sábado Después de Ceniza

En aquel tiempo, vio Jesús a un publicano, llamado Leví (Mateo), sentado en su despacho de recaudador de impuestos, y le dijo: "Sígueme". Él, dejándolo todo, se levantó y lo siguió.

Leví ofreció en su casa un gran banquete en honor de Jesús, y estaban a la mesa, con ellos, un gran número de publicanos y otras personas. Los fariseos y los escribas criticaban por eso a los discípulos, diciéndoles: "¿Por qué comen y beben con publicanos y pecadores?" Jesús les respondió: "No son los sanos los que necesitan al médico, sino los enfermos. No he venido a llamar a los justos, sino a los pecadores, para que se conviertan".

Amigos, el Evangelio de hoy cuenta la historia de cuando el Señor llama a Leví, también conocido como Mateo. Mientras Jesús estaba pasando, vio a Mateo en su puesto de recaudador de impuestos. En aquel tiempo, un recaudador de impuestos era un Judío que colaboraba con la opresión de Roma sobre su propio pueblo; era ser una figura despreciable.

Jesús miró a Mateo y simplemente dijo: "Sígueme". ¿Invitó Jesús a Mateo porque este recaudador de impuestos lo merecía? ¿Estaba Jesús respondiendo a algún pedido de Mateo o algún anhelo en el corazón del pecador? Ciertamente no. La gracia, por definición, viene espontáneamente y sin explicación.

En la magnífica pintura de Caravaggio sobre esta escena, Mateo, vestido anacrónicamente con finas vestimentas del siglo XVI, responde al llamado de Jesús señalándose de modo incrédulo y con expresión burlona, como si dijera: "¿Yo? ¿A mí me buscas?".

Así como la creación es *ex nihilo*, así la conversión es una nueva creación, la recreación de una persona mediante la gracia a partir del no ser de su pecado. Se nos dice entonces que Mateo se levantó inmediatamente y siguió al Señor.

REFLEXIONEMOS: Reflexiona sobre algún momento de tu vida en el que la gracia vino a ti "espontáneamente y sin explicación".

_____

_____

_____

_____

_____

_____

_____

_____

_____

Domingo, 6 de marzo de 2022

I Domingo de Cuaresma

LUCAS 4,1-13

En aquel tiempo, Jesús, lleno del Espíritu Santo, regresó del Jordán y conducido por el mismo Espíritu, se internó en el desierto, donde permaneció durante cuarenta días y fue tentado por el demonio.

No comió nada en aquellos días, y cuando se completaron, sintió hambre. Entonces el diablo le dijo: "Si eres el Hijo de Dios, dile a esta piedra que se convierta en pan". Jesús le contestó: "Está escrito: *No sólo de pan vive el hombre*".

Después lo llevó el diablo a un monte elevado y en un instante le hizo ver todos los reinos de la tierra y le dijo: "A mí me ha sido entregado todo el poder y la gloria de estos reinos, y yo los doy a quien quiero. Todo esto será tuyo, si te arrodillas y me adoras". Jesús le respondió: "Está escrito: *Adorarás al Señor, tu Dios, y a él sólo servirás*".

Entonces lo llevó a Jerusalén, lo puso en la parte más alta del templo y le dijo: "Si eres el Hijo de Dios, arrójate desde aquí, porque está escrito: *Los ángeles del Señor tienen órdenes de cuidarte y de sostenerte en sus manos, para que tus pies no tropiecen con las*

> *piedras".* Pero Jesús le respondió: "También está
> escrito: *No tentarás al Señor, tu Dios".*
>
> Concluidas las tentaciones, el diablo se retiró de él,
> hasta que llegara la hora.

Amigos, en nuestro Evangelio del primer domingo de Cuaresma,
Lucas nos trae la historia de las tentaciones en el desierto. En cada
momento en los Evangelios, estamos llamados a identificarnos
con Jesús. Dios se hizo hombre para que el hombre se convierta
en Dios. Participamos en Él y, de ese modo, aprendemos cómo es
una vida piadosa.

Jesús acaba de ser bautizado; acaba de aprender su más profunda
identidad y misión. Y ahora enfrenta —como debemos hacerlo
todos nosotros— las grandes tentaciones. ¿Qué es precisamente
lo que implica ser el Hijo amado de Dios?

Primero, el tentador lo incita a usar su poder divino para
satisfacer sus deseos corporales, que Jesús ignora con una palabra.
Habiendo fallado en su primer intento, el diablo cambia a la
que tal vez sea la mayor tentación de todas: el poder. El poder
es extremadamente seductor. Muchos con gusto evitarían las
cosas materiales, la atención o la fama para conseguirlo. La gran
respuesta de Jesús en el relato de Mateo es "¡Aléjate, Satanás!".
Buscar el poder es servir a Satanás —es lo que afirma sin rodeos.

Por último, el diablo juega un juego más sutil —tienta a Jesús con manipular a su Padre, animándolo a saltar desde el templo y permitir que los ángeles lo salven. Es la tentación que enfrentaron Adán y Eva en el jardín: decidir cómo y cuándo actuará Dios.

REFLEXIONEMOS: ¿Cuál es la diferencia entre buscar poder y tener poder? Cuando tienes poder, ¿cómo deberías utilizarlo para no servir a Satanás?

Lunes, 7 de marzo de 2022

Lunes de la I Semana de Cuaresma

MATEO 25, 31-46

En aquel tiempo, Jesús dijo a sus discípulos: "Cuando venga el Hijo del hombre, rodeado de su gloria, acompañado de todos sus ángeles, se sentará en su trono de gloria. Entonces serán congregadas ante él todas las naciones, y él apartará a los unos de los otros, como aparta el pastor a las ovejas de los cabritos, y pondrá a las ovejas a su derecha y a los cabritos a su izquierda.

Entonces dirá el rey a los de su derecha: 'Vengan, benditos de mi Padre; tomen posesión del Reino preparado para ustedes desde la creación del mundo; porque estuve hambriento y me dieron de comer, sediento y me dieron de beber, era forastero y me hospedaron, estuve desnudo y me vistieron, enfermo y me visitaron, encarcelado y fueron a verme'. Los justos le contestarán entonces: 'Señor, ¿cuándo te vimos hambriento y te dimos de comer, sediento y te dimos de beber? ¿Cuándo te vimos de forastero y te hospedamos, o desnudo y te vestimos? ¿Cuándo te vimos enfermo o encarcelado y te fuimos a ver?' Y el rey les dirá: 'Yo les aseguro que, cuando lo hicieron con el más insignificante de mis hermanos, conmigo lo hicieron'.

Entonces dirá también a los de su izquierda: 'Apártense de mí, malditos; vayan al fuego eterno, preparado para el diablo y sus ángeles; porque estuve hambriento y no me dieron de comer, sediento y no me dieron de beber, era forastero y no me hospedaron, estuve desnudo y no me vistieron, enfermo y encarcelado y no me visitaron'.

Entonces ellos le responderán: 'Señor, ¿cuándo te vimos hambriento o sediento, de forastero o desnudo, enfermo o encarcelado y no te asistimos?' Y él les replicará: 'Yo les aseguro que, cuando no lo hicieron con uno de aquellos más insignificantes, tampoco lo hicieron conmigo'. Entonces irán éstos al castigo eterno y los justos a la vida eterna".

Amigos, en nuestro Evangelio de hoy Jesús le dice a la multitud que el Hijo del Hombre recibirá a los justos en el reino, diciéndoles, "porque estuve hambriento y me dieron de comer, sediento y me dieron de beber, era forastero y me hospedaron, estuve desnudo y me vistieron, enfermo y me visitaron, encarcelado y fueron a verme". Desconcertados, los justos le preguntarán cuándo fue que ellos lo hicieron, y Él responderá, "Yo les aseguro que, cuando lo hicieron con el más insignificante de mis hermanos, conmigo lo hicieron".

Esta es una evocación poderosa de las enseñanzas de Jesús sobre la reciprocidad de nuestro amor por Dios y el prójimo. El amor absoluto por Dios no compite con un compromiso radical de amar a nuestros semejantes, precisamente porque Dios no es un ser entre muchos, sino el mismo fundamento de nuestra existencia.

Alguien que vivió mucho el espíritu de esta enseñanza fue Santa Teresa de Calcuta. Un escritor estaba cierta vez conversando con ella buscando las fuentes de su espiritualidad y misión. Al final de su larga charla ella le pidió que extendiera su mano sobre la mesa. Tocando sus dedos uno por uno, le dijo "Lo hiciste conmigo".

REFLEXIONEMOS: ¿Es posible amar a Dios y no tener amor por algunas personas? ¿Por qué es esta una grave contradicción?

_____

_____

_____

_____

_____

_____

_____

_____

_____

_____

_____

Martes, 8 de marzo de 2022

Martes de la I Semana de Cuaresma

MATEO 6,7-15

En aquel tiempo, Jesús dijo a sus discípulos: "Cuando ustedes hagan oración no hablen mucho, como los paganos, que se imaginan que a fuerza de mucho hablar, serán escuchados. No los imiten, porque el Padre sabe lo que les hace falta, antes de que se lo pidan. Ustedes, pues, oren así:

Padre nuestro, que estás en el cielo,
santificado sea tu nombre,
venga tu Reino,
hágase tu voluntad
en la tierra como en el cielo.

Danos hoy nuestro pan de cada día,
perdona nuestras ofensas,
como también nosotros perdonamos a los que
    nos ofenden;
no nos dejes caer en tentación
y líbranos del mal.

Si ustedes perdonan las faltas a los hombres, también a ustedes los perdonará el Padre celestial. Pero si ustedes no perdonan a los hombres, tampoco el Padre les perdonará a ustedes sus faltas".

Amigos, el Evangelio de hoy es de gran importancia porque en él, el propio Hijo de Dios nos enseña a orar. No estamos escuchando simplemente a un gurú, o un maestro espiritual, o un genio religioso, sino al mismo Hijo de Dios. Esta es la razón por la cual el Padre Nuestro es el modelo de toda oración.

El Padre Nuestro es la oración para el camino Cristiano que se ha ofrecido constantemente durante los últimos dos mil años. Pensemos por un momento cómo esta oración nos vincula con todas las grandes figuras de la historia Cristiana, desde Pedro y Pablo hasta Agustín, Santo Tomás de Aquino, Francisco de Asís, John Henry Newman, G.K. Chesterton, Juan Pablo II y así hasta el presente.

Tengamos también en cuenta que la oración no está diseñada para hacer cambiar de pensamiento a Dios o para decirle algo que Él no sabe. Dios no es como si fuera un mandamás o un pashá reticente a quien tenemos que persuadir. Más bien, es el que no quiere nada más que darnos cosas buenas —aunque no siempre sean las que nosotros queremos.

REFLEXIONEMOS: ¿Por qué "hágase tu voluntad" es una parte fundamental del Padrenuestro? Cuando rezas, ¿puedes verdaderamente entregar el resultado a Dios?

Miércoles, 9 de marzo de 2022

Miércoles de la I Semana de Cuaresma

LUCAS 11,29-32

En aquel tiempo, la multitud se apiñaba alrededor de Jesús y comenzó a decirles: "La gente de este tiempo es una gente perversa. Pide una señal, pero no se le dará más señal que la de Jonás. Pues así como Jonás fue una señal para los habitantes de Nínive, lo mismo será el Hijo del hombre para la gente de este tiempo.

Cuando sean juzgados los hombres de este tiempo, la reina del sur se levantará el día del juicio para condenarlos, porque ella vino desde los últimos rincones de la tierra para escuchar la sabiduría de Salomón, y aquí hay uno que es más que Salomón.

Cuando sea juzgada la gente de este tiempo, los hombres de Nínive se levantarán el día del juicio para condenarla, porque ellos se convirtieron con la predicación de Jonás, y aquí hay uno que es más que Jonás".

Amigos, en el Evangelio de hoy Jesús le dice a la muchedumbre que no recibirá ninguna señal sino la de Jonás, lo que en código profético equivalía a su muerte y Resurrección.

De una u otra manera, todo lo que Jesús dijo e hizo fue una anticipación de su Resurrección. El Dios de Israel, el Dios de Jesucristo, es un Dios de vida, un Dios de vivos. Odia la muerte y los modos de la muerte.

Odia el pecado, que trae consigo la muerte espiritual; odia la enfermedad física, que lleva a la muerte corporal; odia la corrupción, que acarrea la muerte social. Y así, lucha contra todas estas cosas hasta el final. Jesús sana los ojos de los ciegos, los oídos de los sordos y los miembros de los lisiados; ilumina las mentes obscurecidas; libera las almas presas.

Su ministerio es un ministerio de vida, del triunfo de la vida sobre la muerte.

REFLEXIONEMOS: ¿De qué formas continua la Iglesia el ministerio de vida de Jesús? ¿Aceptas todas las enseñanzas de la Iglesia que dan vida?

Jueves, 10 de marzo de 2022

Jueves de la I Semana de Cuaresma

MATEO 7,7-12

En aquel tiempo, Jesús dijo a sus discípulos: "Pidan y se les dará; busquen y encontrarán; toquen y se les abrirá. Porque todo el que pide, recibe; el que busca, encuentra; y al que toca, se le abre.

¿Hay acaso entre ustedes alguno que le dé una piedra a su hijo, si éste le pide pan? Y si le pide pescado, ¿le dará una serpiente? Si ustedes, a pesar de ser malos, saben dar cosas buenas a sus hijos, con cuánta mayor razón el Padre, que está en los cielos, dará cosas buenas a quienes se las pidan.

Traten a los demás como quieren que ellos los traten a ustedes. En esto se resumen la ley y los profetas".

Amigos, el Evangelio de hoy nos afirma en el poder de la oración. Cuando algunas personas piden con un espíritu de confianza, realmente creyendo que sucederá lo que piden, entonces sucede. Tal como Jesús sugiere en el Evangelio, "Pidan y se les dará; busquen y encontrarán; toquen y se les abrirá".

El poder de la oración está en la confianza de estar siendo guiados y atendidos, incluso cuando la dirección y el cuidado no son evidentes en lo inmediato. Es lo que permite que alguien viva desapegado de todos los altibajos de la vida. En el lenguaje de San Ignacio de Loyola: "No deberíamos preferir la salud a la enfermedad, la riqueza a la pobreza, el honor al deshonor, una vida larga sobre a una vida corta. . . . Nuestro único deseo y elección debería ser lo que más nos conduce al fin para el que hemos sido creados . . . alabar, reverenciar y servir a Dios nuestro Señor".

Alguien que vive con ese tipo de desapego es libre, y al ser libre es poderoso. Está más allá de las amenazas que ocasionan las circunstancias de este mundo. Esto es fuente de *dynamis*, de poder real. Este es el poder que ejercieron Martin Luther King, Dorothy Day y Juan Pablo II: un poder que cambia el mundo.

REFLEXIONEMOS: ¿De qué manera la oración puede ser a la vez activa ("pedir, buscar, llamar") y a la vez desapegada? ¿Cuál es la fuente de este desapego?

Viernes, 6 de marzo de 2022

Viernes de la I Semana de Cuaresma

MATEO 5,20-26

En aquel tiempo, Jesús dijo a sus discípulos: "Les aseguro que si su justicia no es mayor que la de los escribas y fariseos, ciertamente no entrarán ustedes en el Reino de los cielos.

Han oído que se dijo a los antiguos: *No matarás y el que mate será llevado ante el tribunal.* Pero yo les digo: Todo el que se enoje con su hermano, será llevado también ante el tribunal; el que insulte a su hermano, será llevado ante el tribunal supremo, y el que lo desprecie, será llevado al fuego del lugar de castigo.

Por lo tanto, si cuando vas a poner tu ofrenda sobre el altar, te acuerdas allí mismo de que tu hermano tiene alguna queja contra ti, deja tu ofrenda junto al altar y ve primero a reconciliarte con tu hermano, y vuelve luego a presentar tu ofrenda.

Arréglate pronto con tu adversario, mientras vas con él por el camino; no sea que te entregue al juez, el juez al policía y te metan a la cárcel. Te aseguro que no saldrás de allí hasta que hayas pagado el último centavo".

Amigos, en el Evangelio de hoy Jesús nos manda reconciliarnos unos con otros. Quisiera decir algo sobre el papel que tiene el perdón en la reparación de nuestras relaciones rotas.

Cuando estén en oración y se den cuenta que necesitan perdonar a alguien (o ser perdonados por alguien), vayan y háganlo. Vayan a reconciliarse, luego regresen. Es como una regla de la física. Hay algo oculto en el profundo misterio de Dios, y no puedo explicarlo completamente. De alguna manera, si falta en ustedes el perdón, se bloquea el movimiento de Dios en sus personas. Tal vez sea simplemente porque Dios es amor, y aquello que se opone al amor bloquea el flujo del poder de Dios, y la vida de Dios en ustedes.

Una razón por la que no perdonamos es porque sentimos que se nos ha cometido una injusticia y nos ofendemos. Una buena cura para este sentimiento es arrodillarse frente a la cruz de Jesús. ¿Que ven allí? Al inocente Hijo de Dios clavado en la cruz —la injusticia suprema—. ¿Qué hace Jesús? Perdona a sus perseguidores. Mediten sobre esto, y la sensación de ser tratado injustamente se desvanecerá.

REFLEXIONEMOS: Reflexiona sobre una oportunidad en la que realmente hayas sido tratado injustamente. ¿De qué manera la Pasión de Jesús te ayuda a perdonar y a avanzar sobre esa injusticia?

Sábado, 12 de marzo de 2022

Sábado de la I Semana de Cuaresma

MATEO 5,43-48

En aquel tiempo, Jesús dijo a sus discípulos: "Han oído que se dijo: *Ama a tu prójimo y odia a tu enemigo.* Yo, en cambio, les digo: Amen a sus enemigos, hagan el bien a los que los odian y rueguen por los que los persiguen y calumnian, para que sean hijos de su Padre celestial, que hace salir su sol sobre los buenos y los malos, y manda su lluvia sobre los justos y los injustos.

Porque, si ustedes aman a los que los aman, ¿qué recompensa merecen? ¿No hacen eso mismo los publicanos? Y si saludan tan sólo a sus hermanos, ¿qué hacen de extraordinario? ¿No hacen eso mismo los paganos? Sean, pues, perfectos como su Padre celestial es perfecto".

Amigos, el Evangelio de hoy nos habla sobre amar a nuestros enemigos para que podamos ser como el Padre. ¿Y cómo es el Padre de Jesucristo? Escuchen: "Hace salir su sol sobre los buenos y los malos, y manda su lluvia sobre los justos y los injustos".

En todos los casos, su gracia siempre viene primero, y gracia es todo lo que tiene para dar. Esta es la razón por la cual la comparación con el sol y la lluvia es tan adecuada. El sol no pregunta antes de brillar quién merece su calidez o su luz. Él simplemente brilla, y tanto los buenos como los malos reciben su luz y calidez. Tampoco la lluvia consulta acerca de la rectitud moral de aquellos a los cuales riega con generosidad y da vida. Simplemente se derrama —y tanto el justo como el injusto la reciben.

REFLEXIONEMOS: ¿Le has pedido a Dios alguna vez su gracia para amar a gente "no querible" de la manera que él las ama? Si así fue, ¿qué sucedió? Si no, ¿Por qué quieres aferrarte a tu negatividad?

Domingo, 13 de marzo de 2022

II Domingo de Cuaresma

En aquel tiempo, Jesús se hizo acompañar de Pedro, Santiago y Juan, y subió a un monte para hacer oración. Mientras oraba, su rostro cambió de aspecto y sus vestiduras se hicieron blancas y relampagueantes. De pronto aparecieron conversando con él dos personajes, rodeados de esplendor: eran Moisés y Elías. Y hablaban de la muerte que le esperaba en Jerusalén.

Pedro y sus compañeros estaban rendidos de sueño; pero, despertándose, vieron la gloria de Jesús y de los que estaban con él. Cuando éstos se retiraban, Pedro le dijo a Jesús: "Maestro, sería bueno que nos quedáramos aquí y que hiciéramos tres chozas: una para ti, una para Moisés y otra para Elías", sin saber lo que decía.

No había terminado de hablar, cuando se formó una nube que los cubrió; y ellos, al verse envueltos por la nube, se llenaron de miedo. De la nube salió una voz que decía: "Éste es mi Hijo, mi escogido; escúchenlo". Cuando cesó la voz, se quedó Jesús solo.

Los discípulos guardaron silencio y por entonces no dijeron a nadie nada de lo que habían visto.

Amigos, el Evangelio de hoy relata la historia de la Transfiguración. En ella, Jesús glorificado representa el cumplimiento de lo revelado en el Antiguo Testamento, simbolizado por Moisés, quien representa la ley, y Elías, que representa a los profetas.

Veamos las dos divisiones básicas. Dios entrega la Torá, la ley, a su pueblo, para que pueda convertirse en un pueblo sacerdotal, una nación santa, un pueblo elegido, con la esperanza que luego funcione como una especie de imán para el resto del mundo. Pero la ley no prendió. Desde el principio, la gente se apartó de sus dictados y se volvieron iguales a las naciones que los rodeaban.

Y luego los profetas. Una y otra vez escuchamos el llamado a ser fieles a la Torá, a seguir los caminos del Señor. Los profetas enfrentan a Israel en repetidas ocasiones, recordándole sus pecados.

Y luego viene Jesús, Dios y hombre. Jesús hizo lo que ningún héroe del judaísmo había hecho jamás: cumplió la ley, fue absolutamente obediente a las exigencias del Padre, hasta el punto de dar su vida. Él lleva la Torá y los profetas a su cumplimiento.

REFLEXIONEMOS: ¿Por qué sucede que, aun siendo pecadores, podemos ser transfigurados y glorificados si vivimos en y a través de Cristo?

Lunes, 15 de marzo de 2022

Lunes de la II Semana de Cuaresma

LUCAS 6,36-38

En aquel tiempo, Jesús dijo a sus discípulos: "Sean misericordiosos, como su Padre es misericordioso. No juzguen y no serán juzgados; no condenen y no serán condenados; perdonen y serán perdonados.

Den y se les dará: recibirán una medida buena, bien sacudida, apretada y rebosante en los pliegues de su túnica. Porque con la misma medida con que midan, serán medidos".

Amigos, en el Evangelio de hoy Jesús nos pide "sean misericordiosos, como su Padre es misericordioso".

La misericordia o tierna compasión (*chesed* en Hebreo del Antiguo Testamento) es la característica más distintiva de Dios. San Agustín nos recuerda que, por nuestra propia naturaleza, estamos ordenados a Dios. Pero como Dios es tierna misericordia, "tener" a Dios equivale a ejercer la compasión, siendo nosotros misericordiosos.

Prestemos atención a lo que Jesús nos dice a continuación: "No juzguen y no serán juzgados; no condenen y no serán condenados; perdonen y serán perdonados. Den y se les dará". Según las "leyes físicas" del orden espiritual, cuanto más se vale uno de la vida divina, más se recibe esa vida, precisamente porque es un regalo y es propiamente infinita. La vida de Dios se posee, por así decirlo, sobre la marcha: cuando la recibes en forma de regalo, debes regalarla, ya que solo existe como regalo, y de ese modo luego encontrarás más inundando tu corazón.

Jesús nos está diciendo que, si quieres ser feliz, este amor divino, este chesed de Dios, debe ser central en tu vida; debe ser tu comienzo, tu camino y tu fin.

REFLEXIONEMOS: ¿De qué manera has "vuelto a regalar" el amor de Dios? ¿En qué ocasiones eres tentado a aferrarte a él y no regalarlo?

Martes, 15 de marzo de 2022

Martes de la II Semana de Cuaresma

MATEO 23, 1-12

En aquel tiempo, Jesús dijo a las multitudes y a sus discípulos:

"En la cátedra de Moisés se han sentado los escribas y fariseos. Hagan, pues, todo lo que les digan, pero no imiten sus obras, porque dicen una cosa y hacen otra. Hacen fardos muy pesados y difíciles de llevar y los echan sobre las espaldas de los hombres, pero ellos ni con el dedo los quieren mover. Todo lo hacen para que los vea la gente. Ensanchan las filacterias y las franjas del manto; les agrada ocupar los primeros lugares en los banquetes y los asientos de honor en las sinagogas; les gusta que los saluden en las plazas y que la gente los llame 'maestros'.

Ustedes, en cambio, no dejen que los llamen 'maestros', porque no tienen más que un Maestro y todos ustedes son hermanos. A ningún hombre sobre la tierra lo llamen 'padre', porque el Padre de ustedes es sólo el Padre celestial. No se dejen llamar 'guías', porque el guía de ustedes es solamente Cristo. Que el mayor de entre ustedes sea su servidor, porque el que se enaltece será humillado y el que se humilla será enaltecido".

Amigos, el Evangelio de hoy expone el orgullo de los fariseos y concluye con una prescripción de la humildad. Quisiera reflexionar sobre esta virtud.

San Agustín dijo que todos nosotros, hechos de la nada, tendemos hacia la nada. Podemos ver esto en nuestra fragilidad, pecado y mortalidad. San Pablo dijo: "¿Qué tienes, que no lo hayas recibido? Y si lo has recibido, ¿por qué presumes como si no lo hubieras recibido?".

Creer en Dios es conocer estas verdades. Vivirlas es vivir en la actitud de humildad. Tomás de Aquino dijo *humilitas veritas*, lo que significa que la "humildad es la verdad". Es vivir la verdad más profunda de las cosas: Dios es Dios y nosotros no.

Ahora, todo esto suena muy claro cuando se dice de esta manera abstracta, ¡pero hombre, es difícil vivirlo! En nuestro mundo caído, olvidamos tan fácilmente que somos criaturas. Comenzamos a suponer que somos dioses, el centro del universo.

El ego se convierte en un enorme mono sobre nuestras espaldas, y tiene que ser alimentado y mimado constantemente. ¡Qué liberación es soltar el ego! ¿Ven por qué la humildad no es una degradación, sino una elevación?

REFLEXIONEMOS: Reflexiona de qué modo la soberbia se convierte en una carga y cómo la humildad nos libera y nos eleva.

Miércoles, 16 de marzo de 2022

Miércoles de la II Semana de Cuaresma

MATEO 20,17-28

En aquel tiempo, mientras iba de camino a Jerusalén, Jesús llamó aparte a los Doce y les dijo: "Ya vamos camino de Jerusalén y el Hijo del hombre va a ser entregado a los sumos sacerdotes y a los escribas, que lo condenarán a muerte y lo entregarán a los paganos para que se burlen de él, lo azoten y lo crucifiquen; pero al tercer día, resucitará".

Entonces se acercó a Jesús la madre de los hijos de Zebedeo, junto con ellos, y se postró para hacerle una petición. Él le preguntó: "¿Qué deseas?" Ella respondió: "Concédeme que estos dos hijos míos se sienten, uno a tu derecha y el otro a tu izquierda, en tu Reino". Pero Jesús replicó: "No saben ustedes lo que piden. ¿Podrán beber el cáliz que yo he de beber?" Ellos contestaron: "Sí podemos". Y él les dijo: "Beberán mi cáliz; pero eso de sentarse a mi derecha o a mi izquierda no me toca a mí concederlo; es para quien mi Padre lo tiene reservado".

Al oír aquello, los otros diez discípulos se indignaron contra los dos hermanos. Pero Jesús los llamó y les dijo: "Ya saben que los jefes de los pueblos los tiranizan y que los grandes los oprimen. Que no sea así entre ustedes. El que quiera ser grande entre ustedes, que

> sea el que los sirva, y el que quiera ser primero, que sea su esclavo; así como el Hijo del hombre no ha venido a ser servido, sino a servir y a dar la vida por la redención de todos".

Amigos, en el Evangelio de hoy la madre de Santiago y Juan le pide a Jesús altos puestos para ellos en el reino. Escuchamos la voz de la ambición. Hay algunas personas a quienes no les importa el dinero o el poder o el placer—pero buscan el honor apasionadamente. Muchos pueden identificarse con Santiago y Juan. Quieren llegar a ciertos lugares, quieren llegar a ser actores influyentes en la sociedad. Quizás un gran número de personas leyendo esta reflexión estén llenos de estas emociones.

Pero Jesús da vuelta esta situación: "No saben ustedes lo que piden". Él es ciertamente el Rey y en verdad gobernará Israel, pero su corona será de espinas y su trono un instrumento de tortura romano.

Él trata entonces de clarificar: "¿Podrán beber el cáliz que yo he de beber?". La llave para recibir honor en el reino de Dios es beber el cáliz del sufrimiento, es estar dispuesto a sufrir por amor, a dar la vida como regalo. Vean la vida de los santos. No se trata de agrandar el ego sino más bien de vaciarlo.

REFLEXIONEMOS: ¿De qué modo has sufrido por amor o has donado tu vida como un regalo?

Jueves, 17 de marzo de 2022

Jueves de la II Semana de Cuaresma

LUCAS 16,19-31

En aquel tiempo, Jesús dijo a los fariseos: "Había un hombre rico, que se vestía de púrpura y telas finas y banqueteaba espléndidamente cada día. Y un mendigo, llamado Lázaro, yacía a la entrada de su casa, cubierto de llagas y ansiando llenarse con las sobras que caían de la mesa del rico. Y hasta los perros se acercaban a lamerle las llagas.

Sucedió, pues, que murió el mendigo y los ángeles lo llevaron al seno de Abraham. Murió también el rico y lo enterraron. Estaba éste en el lugar de castigo, en medio de tormentos, cuando levantó los ojos y vio a lo lejos a Abraham y a Lázaro junto a él.

Entonces gritó: 'Padre Abraham, ten piedad de mí. Manda a Lázaro que moje en agua la punta de su dedo y me refresque la lengua, porque me torturan estas llamas'. Pero Abraham le contestó: 'Hijo, recuerda que en tu vida recibiste bienes y Lázaro, en cambio, males. Por eso él goza ahora de consuelo, mientras que tú sufres tormentos. Además, entre ustedes y nosotros se abre un abismo inmenso, que nadie puede cruzar, ni hacia allá ni hacia acá'.

El rico insistió: 'Te ruego, entonces, padre Abraham, que mandes a Lázaro a mi casa, pues me quedan allá cinco hermanos, para que les advierta y no acaben también ellos en este lugar de tormentos'. Abraham le dijo: 'Tienen a Moisés y a los profetas; que los escuchen'. Pero el rico replicó: 'No, padre Abraham. Si un muerto va a decírselo, entonces sí se arrepentirán'. Abraham repuso: 'Si no escuchan a Moisés y a los profetas, no harán caso, ni aunque resucite un muerto'".

Amigos, el Evangelio de hoy es sobre la parábola del hombre rico y Lázaro. Había un hombre rico "que se vestía de púrpura y telas finas y banqueteaba espléndidamente cada día", mientras en la puerta de su casa yacía un pobre hombre llamado Lázaro, "ansiando llenarse con las sobras que caían de la mesa del rico".

A Dios no le agrada este tipo de desigualdad económica, y lo consume la pasión por arreglar las cosas. Este tema aparece en la Biblia y en la tradición cristiana, y se repite a lo largo de los siglos. A pesar de que nos hace sentir incómodos —y Dios sabe que así es, especialmente para aquellos de nosotros que vivimos en la sociedad más próspera del mundo— no podemos evitarlo porque está en todas partes de la Biblia.

Santo Tomás de Aquino dice que debemos distinguir entre el ser propietario y el uso de la propiedad privada. Tenemos derecho a ser propietarios, a través de nuestro arduo trabajo, a través de nuestra herencia. Eso es justo. Pero con respecto al uso de las cosas —cómo las usamos, para qué las usamos— entonces, dice Tomás, siempre debemos preocuparnos primero por el bien común y no por el nuestro. Esto incluye especialmente a aquellos como Lázaro que están en nuestra puerta: los que están sufriendo y los más necesitados.

REFLEXIONEMOS: Manteniéndote alineado con la enseñanza Bíblica, ¿cómo estás utilizando tus bienes materiales para el bien común?

_____

_____

_____

_____

_____

_____

_____

_____

_____

_____

_____

Viernes, 18 de marzo de 2022

Viernes de la II Semana de Cuaresma

MATEO 21,33-43. 45-46

En aquel tiempo, Jesús dijo a los sumos sacerdotes y a los ancianos del pueblo esta parábola: "Había una vez un propietario que plantó un viñedo, lo rodeó con una cerca, cavó un lagar en él, construyó una torre para el vigilante y luego la alquiló a unos viñadores y se fue de viaje.

Llegado el tiempo de la vendimia, envió a sus criados para pedir su parte de los frutos a los viñadores; pero éstos se apoderaron de los criados, golpearon a uno, mataron a otro, y a otro más lo apedrearon. Envió de nuevo a otros criados, en mayor número que los primeros, y los trataron del mismo modo.

Por último, les mandó a su propio hijo, pensando: 'A mi hijo lo respetarán'. Pero cuando los viñadores lo vieron, se dijeron unos a otros: 'Éste es el heredero. Vamos a matarlo y nos quedaremos con su herencia'. Le echaron mano, lo sacaron del viñedo y lo mataron.

Ahora díganme: Cuando vuelva el dueño del viñedo, ¿qué hará con esos viñadores?" Ellos le respondieron: "Dará muerte terrible a esos desalmados y arrendará el viñedo a otros viñadores, que le entreguen los frutos a su tiempo".

Entonces Jesús les dijo: "¿No han leído nunca en la Escritura: *La piedra que desecharon los constructores, es ahora la piedra angular. Esto es obra del Señor y es un prodigio admirable?*

Por esta razón les digo que les será quitado a ustedes el Reino de Dios y se le dará a un pueblo que produzca sus frutos".

Al oír estas palabras, los sumos sacerdotes y los fariseos comprendieron que Jesús las decía por ellos y quisieron aprehenderlo, pero tuvieron miedo a la multitud, pues era tenido por un profeta.

Amigos, nuestro Evangelio de hoy narra la parábola del dueño del campo que sembró una viña y la alquiló a unos arrendatarios. Dios es el dueño, la viña es su creación, y nosotros somos los arrendatarios, responsables de ella.

En la narración de Jesús los sirvientes enviados por el dueño para recoger su producción son los profetas y los maestros de Israel, quienes le recuerdan a las personas sobre sus responsabilidades para con Dios. Pero los arrendatarios golpearon a uno de los sirvientes, mataron a otro de ellos, y lapidaron a un tercero.

Finalmente, el dueño de la viña envió a su propio hijo, con la esperanza de que los arrendatarios lo respeten. Así, Jesús vino para que pudiéramos dirigir toda nuestra vida nuevamente hacia Dios, para que recordáramos que somos arrendatarios y que todo el mundo pertenece a Dios.

"Pero cuando los viñadores lo vieron al hijo . . . le echaron mano, lo sacaron del viñedo y lo mataron". Aquí, claro está, encontramos contenida toda la tragedia de la cruz de Jesús. Cuando Dios nos envió a su hijo, nosotros lo asesinamos. Ésta es la resistencia demente a las intenciones de Dios que se llama pecado.

REFLEXIONEMOS: ¿De qué maneras eres sensible a la responsabilidad de cuidar la creación de Dios?

Sábado, 19 de marzo de 2022

Solemnidad de San José, esposo de la Santísima Virgen María

Jacob engendró a José, el esposo de María, de la cual nació Jesús, llamado Cristo.

Cristo vino al mundo de la siguiente manera: Estando María, su madre, desposada con José y antes de que vivieran juntos, sucedió que ella, por obra del Espíritu Santo, estaba esperando un hijo. José, su esposo, que era hombre justo, no queriendo ponerla en evidencia, pensó dejarla en secreto.

Mientras pensaba en estas cosas, un ángel del Señor le dijo en sueños: "José, hijo de David, no dudes en recibir en tu casa a María, tu esposa, porque ella ha concebido por obra del Espíritu Santo. Dará a luz un hijo y tú le pondrás el nombre de Jesús, porque él salvará a su pueblo de sus pecados".

Cuando José despertó de aquel sueño, hizo lo que le había mandado el ángel del Señor.

Amigos, hoy celebramos la fiesta de San José.

Cada episodio de la vida de José es una crisis. Descubrió que la mujer con la que estaba comprometido estaba embarazada.

Decidió divorciarse de ella en silencio, pero luego el Ángel del Señor apareció en un sueño y le explicó el embarazo. Entonces José entendió lo que estaba sucediendo en el contexto de la providencia de Dios y tomó a María como su esposa.

Luego, al descubrir que el niño estaba en peligro mortal, José lleva a la madre y al bebé en un peligroso viaje a un país desconocido. Cualquiera que se haya visto obligado a mudarse a una nueva ciudad sabe la ansiedad que José debe haber sentido. Pero José va porque Dios lo había mandado.

Finalmente, escuchamos que José busca desesperadamente a su hijo perdido de doce años. En silencio, llevando al niño a casa, una vez más deja de lado sus sentimientos humanos y confía en los propósitos de Dios.

Lo poco que sabemos sobre José es que experimentó desamor, miedo a la muerte y la ansiedad más profunda de un padre. Pero en cada momento interpretó lo que sucedía como un teo-drama, y no como un ego-drama. Esta actitud es lo que hizo que José sea patrono de la Iglesia universal.

REFLEXIONEMOS: ¿Cómo puedes tener la confianza de José, especialmente en los momentos de crisis?

_____

_____

_____

_____

Domingo, 20 de marzo de 2022

III Domingo de Cuaresma

LUCAS 13,1-9

En aquel tiempo, algunos hombres fueron a ver a Jesús y le contaron que Pilato había mandado matar a unos galileos, mientras estaban ofreciendo sus sacrificios. Jesús les hizo este comentario: "¿Piensan ustedes que aquellos galileos, porque les sucedió esto, eran más pecadores que todos los demás galileos? Ciertamente que no; y si ustedes no se arrepienten, perecerán de manera semejante. Y aquellos dieciocho que murieron aplastados por la torre de Siloé, ¿piensan acaso que eran más culpables que todos los demás habitantes de Jerusalén? Ciertamente que no; y si ustedes no se arrepienten, perecerán de manera semejante".

Entonces les dijo esta parábola: "Un hombre tenía una higuera plantada en su viñedo; fue a buscar higos y no los encontró. Dijo entonces al viñador: 'Mira, durante tres años seguidos he venido a buscar higos en esta higuera y no los he encontrado. Córtala. ¿Para qué ocupa la tierra inútilmente?' El viñador le contestó: 'Señor, déjala todavía este año; voy a aflojar la tierra alrededor y a echarle abono, para ver si da fruto. Si no, el año que viene la cortaré'".

Amigos, el Evangelio de hoy nos trae la parábola de la higuera que no da fruto.

Este es algo usual en la literatura teológica de Israel: el árbol que no da fruto evoca la persona moral que no produce fruto espiritual. Cada persona tiene una misión: ser conducto de la gracia divina en el mundo. Como planta enraizada en Dios —piensen en la imagen de la vid y las ramas de Jesús— estamos destinados a producir frutos de amor, de paz, de compasión, de justicia y de no violencia.

Y notemos que ello no debería realizarse con esfuerzo. Cuanto más nos acercamos a Dios, nos volvemos más llenos de vida. Pero el misterio del pecado es que resiste la invasión de Dios; preferimos seguir nuestro propio camino; nos aferramos a nuestras propias prerrogativas y nuestra propia y estrecha libertad. Y el resultado es que nos falta vida. Sentimos como una depresión, como si la vida no fuese a ningún lado; en el lenguaje de Dante, es como estar "perdido en un bosque oscuro".

En la parábola de Jesús, el viñador le ruega al propietario una oportunidad más para "aflojar la tierra alrededor y echarle abono", con la esperanza de hacerla volver a la vida. Pero si esa vida no llega, el árbol será cortado. Esta es una señal de urgencia que se repite una y otra vez en la Biblia. Podemos quedarnos sin tiempo. Podemos volvernos tan resistentes a la gracia de Dios que nuestras hojas se vayan secando. Esto no es una venganza divina; es algo de la física espiritual.

¡Así que no tengas miedo de Dios! Ríndete a Él.

REFLEXIONEMOS: ¿Qué nos enseña la lección de la higuera estéril sobre lo que es importante en la mente de Dios? ¿Por qué no es suficiente ser moralmente recto?

Lunes, 21 de marzo de 2022

Lunes de la III Semana de Cuaresma

LUCAS 4,24-30

En aquel tiempo, Jesús llegó a Nazaret, entró a la sinagoga y dijo al pueblo: "Yo les aseguro que nadie es profeta en su tierra. Había ciertamente en Israel muchas viudas en los tiempos de Elías, cuando faltó la lluvia durante tres años y medio, y hubo un hambre terrible en todo el país; sin embargo, a ninguna de ellas fue enviado Elías, sino a una viuda que vivía en Sarepta, ciudad de Sidón. Había muchos leprosos en Israel, en tiempos del profeta Eliseo; sin embargo, ninguno de ellos fue curado, sino Naamán, que era de Siria".

Al oír esto, todos los que estaban en la sinagoga se llenaron de ira, y levantándose, lo sacaron de la ciudad y lo llevaron hasta una saliente del monte, sobre el que estaba construida la ciudad, para despeñarlo. Pero él, pasando por en medio de ellos, se alejó de allí.

Amigos, en el Evangelio de hoy Jesús es rechazado como profeta en su misma ciudad natal. Quisiera decir algunas palabras sobre tu papel como profeta.

Cuando la mayoría de los laicos escuchan algo acerca de profecías, se sientan y sus ojos se nublan: "Esto es algo de lo que deben preocuparse los sacerdotes y obispos; ellos son los profetas de hoy en día. Yo no tengo esa llamada, ni esa responsabilidad".

Bueno, ¡piensa de nuevo! El Vaticano II enfatizó el llamado universal a la santidad, enraizado en la dinámica del bautismo. Toda persona bautizada se configura con Cristo: sacerdote, profeta y rey. Cada vez que asistes a Misa estás ejerciendo tu oficio sacerdotal, participando en la adoración a Dios. Cada vez que diriges a tus hijos a descubrir su misión en la Iglesia, o proporcionas orientación a alguien en la vida espiritual, estás ejerciendo tu cargo real.

Como persona bautizada, tú has sido enviado como profeta, es decir, alguien que transmite la verdad de Dios. La palabra profética no es tuya. No es el resultado de tus propias meditaciones sobre la vida espiritual, por valiosas y correctas que puedan ser. La palabra profética es la palabra de Dios que te ha sido dada por el mismo Dios.

REFLEXIONEMOS: ¿Qué necesitas para transformarte en alguien que "transmite la verdad de Dios"? ¿Qué te está deteniendo?

Martes, 22 de marzo de 2022

Martes de la III Semana de Cuaresma

MATEO 18,21-35

En aquel tiempo, Pedro se acercó a Jesús y le preguntó: "Si mi hermano me ofende, ¿cuántas veces tengo que perdonarlo? ¿Hasta siete veces?" Jesús le contestó: "No sólo hasta siete, sino hasta setenta veces siete".

Entonces Jesús les dijo: "El Reino de los cielos es semejante a un rey que quiso ajustar cuentas con sus servidores. El primero que le presentaron le debía diez mil talentos. Como no tenía con qué pagar, el señor mandó que lo vendieran a él, a su mujer, a sus hijos y todas sus posesiones, para saldar la deuda. El servidor, arrojándose a sus pies, le suplicaba diciendo: 'Ten paciencia conmigo y te lo pagaré todo'. El rey tuvo lástima de aquel servidor, lo soltó y hasta le perdonó la deuda.

Pero, apenas había salido aquel servidor, se encontró con uno de sus compañeros, que le debía poco dinero. Entonces lo agarró por el cuello y casi lo estrangulaba, mientras le decía: 'Págame lo que me debes'. El compañero se le arrodilló y le rogaba: 'Ten paciencia conmigo y te lo pagaré todo'. Pero el otro no quiso escucharlo, sino que fue y lo metió en la cárcel hasta que le pagara la deuda.

> Al ver lo ocurrido, sus compañeros se llenaron de indignación y fueron a contar al rey lo sucedido. Entonces el señor lo llamó y le dijo: 'Siervo malvado. Te perdoné toda aquella deuda porque me lo suplicaste. ¿No debías tú también haber tenido compasión de tu compañero, como yo tuve compasión de ti?' Y el señor, encolerizado, lo entregó a los verdugos para que no lo soltaran hasta que pagara lo que debía.
>
> Pues lo mismo hará mi Padre celestial con ustedes, si cada cual no perdona de corazón a su hermano".

Amigos, nuestro Evangelio de hoy está enfocado en el don del perdón. Es base del Nuevo Testamento, y muy central en la prédica y ministerio de Jesús. Cuando se trata de aquellas ofensas que hemos recibido de otros, somos todos grandes adalides de la justicia. Cuando somos heridos por otro recordamos cada insulto, cada desaire y cada defecto. Por ello, perdonar, aun una o dos veces, resulta tan difícil.

Perdonar siete veces, como sugiere Pedro, está más allá de nuestros límites. Sin embargo, Jesús le dice, "No te digo hasta siete veces, sino hasta setenta veces siete". En otras palabras, perdona constantemente, incansablemente, sin calcular. Tu vida entera debe convertirse en un acto de perdón.

Y esta es la razón por la que Jesús nos cuenta la parábola en el Evangelio de hoy. El hombre al que se le ha perdonado tanto debería, al menos, demostrar su perdón a aquél que le debe mucho menos.

Aquí está el centro espiritual del tema: cualquier cosa que alguien te deba (en estricta justicia) es infinitamente menos de lo que Dios te ha dado gratuitamente; el perdón divino que recibes es infinitamente más grande que cualquier perdón que podrías ser llamado a ofrecer.

Todo se trata de convertirse en un instrumento de la vida, gracia, perdón y paz de Dios. Permite que fluya a través tuyo lo que se ha vertido dentro tuyo —de eso se trata.

REFLEXIONEMOS: ¿Hay alguien a quien necesites perdonar? Reflexiona en la misericordia de Dios para contigo mientras planeas una manera de reconstruir aquella relación.

Miércoles, 23 de marzo de 2022

Miércoles de la III Semana de Cuaresma

MATEO 5,17-19

En aquel tiempo, Jesús dijo a sus discípulos: "No crean que he venido a abolir la ley o los profetas; no he venido a abolirlos, sino a darles plenitud. Yo les aseguro que antes se acabarán el cielo y la tierra, que deje de cumplirse hasta la más pequeña letra o coma de la ley.

Por lo tanto, el que quebrante uno de estos preceptos menores y enseñe eso a los hombres, será el menor en el Reino de los cielos; pero el que los cumpla y los enseñe, será grande en el Reino de los cielos".

Amigos, en el Evangelio de hoy Jesús declara que no hará nada en detrimento de la Ley y los Profetas sino darles cumplimiento. Jesús mismo era un Judío que observaba las normas, y los temas e imágenes de las Sagradas Escrituras eran fundamentales para Él.

¿A qué entonces dará cumplimiento? El teólogo protestante N.T. Wright dice que el Antiguo Testamento es esencialmente una sinfonía incompleta, un drama sin punto culminante. Es la articulación de una esperanza, un sueño, un anhelo —pero sin la realización de esa esperanza, sin la satisfacción de ese deseo.

Israel sabía que era un pueblo con una misión definida, la de convertirse en santo y con ello transformar el mundo a la santidad. Pero contrariamente a ello, Israel cae en pecados mayores y mayores. Y en lugar de ser un agente de cambio para la conversión del mundo, es el mundo el que continuamente agobia y esclaviza a Israel.

Entonces llega Jesús, que termina siendo, del modo más inesperado, el cumplimiento del sueño. Desde el comienzo de su vida pública, Jesús moviliza las tribus de Israel para que se unan, a través de la conversión y el perdón de los pecados.

REFLEXIONEMOS: ¿Cuáles son tus esperanzas, sueños y anhelos? ¿Cómo los cumple Jesús?

_____

_____

_____

_____

_____

_____

_____

_____

_____

Jueves, 24 de marzo de 2022

Jueves de la III Semana de Cuaresma

LUCAS 11,14-23

En aquel tiempo, Jesús expulsó a un demonio, que era mudo. Apenas salió el demonio, habló el mudo y la multitud quedó maravillada. Pero algunos decían: "Éste expulsa a los demonios con el poder de Belzebú, el príncipe de los demonios". Otros, para ponerlo a prueba, le pedían una señal milagrosa.

Pero Jesús, que conocía sus malas intenciones, les dijo: "Todo reino dividido por luchas internas va a la ruina y se derrumba casa por casa. Si Satanás también está dividido contra sí mismo, ¿cómo mantendrá su reino? Ustedes dicen que yo arrojo a los demonios con el poder de Satanás. Entonces, ¿con el poder de quién los arrojan los hijos de ustedes? Por eso, ellos mismos serán sus jueces. Pero si yo arrojo a los demonios con el dedo de Dios, eso significa que ha llegado a ustedes el Reino de Dios.

Cuando un hombre fuerte y bien armado guarda su palacio, sus bienes están seguros; pero si otro más fuerte lo asalta y lo vence, entonces le quita las armas en que confiaba y después dispone de sus bienes. El que no está conmigo, está contra mí; y el que no recoge conmigo, desparrama".

Amigos, el Evangelio de hoy nos habla sobre una persona poseída por el demonio. Jesús se encuentra con este hombre y expulsa al demonio, pero inmediatamente después se lo acusa de estar en complot con Satanás. Algunos de los testigos decían, "Éste expulsa a los demonios con el poder de Belzebú, el príncipe de los demonios".

La respuesta de Jesús es maravillosa por ser lógica y concisa: "Un reino donde hay luchas internas va a la ruina y sus casas caen una sobre otra. Si Satanás lucha contra sí mismo, ¿cómo podrá subsistir su reino?".

El poder del demonio es siempre algo que dispersa. Quiebra la comunión. Jesús, sin embargo, es siempre la voz de la communio, de Aquél que reconcilia todas las cosas.

Pensemos cuando Jesús alimentó a esa multitud de cinco mil personas. Frente a esa gran cantidad de gente hambrienta, sus discípulos le pedían, "Despide a la multitud así pueden ir a sus aldeas y comprar alimentos". Pero Jesús responde, "No hay necesidad de que se vayan; dadles vosotros de comer".

Cualquier cosa que lleve a la Iglesia a separarse es un eco de este impulso de "despide a la multitud", y un recordatorio de la tendencia demoníaca a dividir. Cuando los tiempos son amenazantes y de prueba, este es un instinto muy común. Culpamos, atacamos, dividimos y dispersamos. Pero Jesús dice con certeza: "No hay necesidad de que se vayan".

REFLEXIONEMOS: ¿Hay alguna parte de la Iglesia que tú culpes o ataques? ¿Cómo puedes cambiar tu actitud y trabajar por la unidad entre todas las partes del Cuerpo de Cristo?

Viernes, 25 de marzo de 2022

Solemnidad de la Anunciación del Señor

LUCAS 1,26-38

En aquel tiempo, el ángel Gabriel fue enviado por Dios a una ciudad de Galilea, llamada Nazaret, a una virgen desposada con un varón de la estirpe de David, llamado José. La virgen se llamaba María.

Entró el ángel a donde ella estaba y le dijo: "Alégrate, llena de gracia, el Señor está contigo". Al oír estas palabras, ella se preocupó mucho y se preguntaba qué querría decir semejante saludo.

El ángel le dijo: "No temas, María, porque has hallado gracia ante Dios. Vas a concebir y a dar a luz un hijo y le pondrás por nombre Jesús. Él será grande y será llamado Hijo del Altísimo; el Señor Dios le dará el trono de David, su padre, y él reinará sobre la casa de Jacob por los siglos y su reinado no tendrá fin".

María le dijo entonces al ángel: "¿Cómo podrá ser esto, puesto que yo permanezco virgen?" El ángel le contestó: "El Espíritu Santo descenderá sobre ti y el poder del Altísimo te cubrirá con su sombra. Por eso, el Santo, que va a nacer de ti, será llamado Hijo de Dios. Ahí tienes a tu parienta Isabel, que a pesar de su vejez, ha concebido un hijo y ya va en el sexto mes la que llamaban estéril, porque no hay nada imposible para Dios". María contestó: "Yo soy la esclava del Señor; cúmplase en mí lo que me has dicho". Y el ángel se retiró de su presencia.

Amigos, en el Evangelio de Lucas de hoy, encontramos la Anunciación a María. Esto es lo que Gabriel le dijo a la Virgen: "Vas a concebir y a dar a luz un hijo y le pondrás por nombre Jesús. . . . El Señor Dios le dará el trono de David, su padre, y él reinará sobre la casa de Jacob por los siglos y su reinado no tendrá fin".

Ningún Israelita del primer siglo habría pasado por alto el significado de lo que aquí se dice: este niño será el cumplimiento de la promesa hecha al Rey David.

Y esto significa que el niño será, de hecho, el Rey del mundo, traerá unidad y paz a las naciones. En Israel había crecido la convicción de que este misterioso descendiente de David sería rey, pero no sólo por un tiempo y no sólo en un sentido terrenal, sino que gobernaría para siempre y sobre todas las naciones. Este Rey definitivo de los Judíos sería rey del mundo. Sería, así mismo, nuestro Rey.

REFLEXIONEMOS: ¿De qué forma es Jesús el Rey de tu mundo ahora mismo? ¿De qué forma puedes apoyar la edificación de este reino eterno?

Sábado, 26 de marzo de 2022

Sábado de la III Semana de Cuaresma

LUCAS 18,9-14

En aquel tiempo, Jesús dijo esta parábola sobre algunos que se tenían por justos y despreciaban a los demás:

"Dos hombres subieron al templo para orar: uno era fariseo y el otro, publicano. El fariseo, erguido, oraba así en su interior: 'Dios mío, te doy gracias porque no soy como los demás hombres: ladrones, injustos y adúlteros; tampoco soy como ese publicano. Ayuno dos veces por semana y pago el diezmo de todas mis ganancias'.

El publicano, en cambio, se quedó lejos y no se atrevía a levantar los ojos al cielo. Lo único que hacía era golpearse el pecho, diciendo: 'Dios mío, apiádate de mí, que soy un pecador'.

Pues bien, yo les aseguro que éste bajó a su casa justificado y aquél no; porque todo el que se enaltece será humillado y el que se humilla será enaltecido".

Amigos, el Evangelio de hoy compara la oración egocéntrica del fariseo con la oración centrada en Dios del recaudador de impuestos.

El Fariseo ora para sí mismo. Esta es, sugiere Jesús, una oración fraudulenta, totalmente inadecuada, precisamente porque simplemente confirma al hombre en su autoestima. Y el dios al que reza es, necesariamente, un dios falso, un ídolo, ya que se deja emplazar por las necesidades que impulsan el ego del fariseo.

Luego Jesús nos invita a meditar sobre la oración del publicano. Habla con una elocuencia simple: "Lo único que hacía era golpearse el pecho, diciendo: 'Dios mío, apiádate de mí, que soy un pecador'". Aunque es un discurso articulado, no es un lenguaje que confirma la independencia y poder del orador; todo lo contrario. Es más un grito o un gemido, el reconocimiento de la necesidad de recibir la misteriosa misericordia por la que ruega.

En la primera oración, "dios" es un miembro principal en la audiencia desplegada ante el ego del Fariseo. Pero en la segunda oración, Dios es el actor principal, y el publicano es el público que espera la actuación cuyos límites no puede prever por completo.

REFLEXIONEMOS: ¿En qué momento has ajustado a Dios a tu propia imagen o, en otras palabras, lo has acomodado de acuerdo a las necesidades de tu ego?

Domingo, 27 de marzo de 2022

IV Domingo de Cuaresma

LUCAS 15,1-3;11-32

En aquel tiempo, se acercaban a Jesús los publicanos y los pecadores para escucharlo. Por lo cual los fariseos y los escribas murmuraban entre sí: "Éste recibe a los pecadores y come con ellos".

Jesús les dijo entonces esta parábola: "Un hombre tenía dos hijos, y el menor de ellos le dijo a su padre: 'Padre, dame la parte de la herencia que me toca'. Y él les repartió los bienes.

No muchos días después, el hijo menor, juntando todo lo suyo, se fue a un país lejano y allá derrochó su fortuna, viviendo de una manera disoluta. Después de malgastarlo todo, sobrevino en aquella región una gran hambre y él empezó a padecer necesidad. Entonces fue a pedirle trabajo a un habitante de aquel país, el cual lo mandó a sus campos a cuidar cerdos. Tenía ganas de hartarse con las bellotas que comían los cerdos, pero no lo dejaban que se las comiera.

Se puso entonces a reflexionar y se dijo: '¡Cuántos trabajadores en casa de mi padre tienen pan de sobra, y yo, aquí, me estoy muriendo de hambre! Me levantaré, volveré a mi padre y le diré: Padre, he pecado contra el cielo y contra ti; ya no merezco llamarme hijo tuyo. Recíbeme como a uno de tus trabajadores'.

Enseguida se puso en camino hacia la casa de su padre. Estaba todavía lejos, cuando su padre lo vio y se enterneció profundamente. Corrió hacia él, y echándole los brazos al cuello, lo cubrió de besos. El muchacho le dijo: 'Padre, he pecado contra el cielo y contra ti; ya no merezco llamarme hijo tuyo'.

Pero el padre les dijo a sus criados: '¡Pronto!, traigan la túnica más rica y vístansela; pónganle un anillo en el dedo y sandalias en los pies; traigan el becerro gordo y mátenlo. Comamos y hagamos una fiesta, porque este hijo mío estaba muerto y ha vuelto a la vida, estaba perdido y lo hemos encontrado'. Y empezó el banquete.

El hijo mayor estaba en el campo y al volver, cuando se acercó a la casa, oyó la música y los cantos. Entonces llamó a uno de los criados y le preguntó qué pasaba. Éste le contestó: 'Tu hermano ha regresado y tu padre mandó matar el becerro gordo, por haberlo recobrado sano y salvo'. El hermano mayor se enojó y no quería entrar.

Salió entonces el padre y le rogó que entrara; pero él replicó: '¡Hace tanto tiempo que te sirvo, sin

desobedecer jamás una orden tuya, y tú no me
has dado nunca ni un cabrito para comérmelo
con mis amigos! Pero eso sí, viene ese hijo tuyo,
que despilfarró tus bienes con malas mujeres, y tú
mandas matar el becerro gordo'.

El padre repuso: 'Hijo, tú siempre estás conmigo y
todo lo mío es tuyo. Pero era necesario hacer fiesta
y regocijarnos, porque este hermano tuyo estaba
muerto y ha vuelto a la vida, estaba perdido y lo
hemos encontrado'".

Amigos, nuestro Evangelio de hoy es la parábola más conocida
de Jesús, y quizás la historia más grande jamás contada. Nos dice
prácticamente todo lo que necesitamos saber sobre nuestra relación
con Dios, tan solo si nos concentramos en los detalles con cuidado.

El hijo menor pide su parte de la propiedad y la desperdicia
rápidamente en una tierra lejana —tal como sucede siempre.
Somos los hijos de Dios; se nos ha dado la vida, el ser, todo por
medio de él; existimos a través de él en todo momento. Lo que se
presenta aquí, tan vívidamente, es el momento del pecado, que
significa ruptura o división.

Así entonces, se vio obligado a trabajar y convertirse en un peón
que alimentaba cerdos. Y nadie le daba nada. Por fin, entrando en
razón, decide dejar todo ello y regresar con su padre.

El padre lo ve desde muy lejos, y entonces, dejando de lado formalismos, sale corriendo a su encuentro. La Biblia no es la historia de nuestra búsqueda de Dios, sino la búsqueda apasionada e implacable de Dios por nosotros. Pone un anillo en el dedo de su hijo —anillo de matrimonio, que simboliza el restablecimiento de una relación apropiada entre Dios y nosotros.

REFLEXIONEMOS: ¿De qué forma te ha perseguido Dios incansablemente a lo largo de tu vida?

_____

_____

_____

_____

_____

_____

_____

_____

_____

_____

_____

_____

Lunes, 28 de marzo de 2022

Lunes de la IV Semana de Cuaresma

JUAN 4,43-54

En aquel tiempo, Jesús salió de Samaria y se fue a Galilea. Jesús mismo había declarado que a ningún profeta se le honra en su propia patria. Cuando llegó, los galileos lo recibieron bien, porque habían visto todo lo que él había hecho en Jerusalén durante la fiesta, pues también ellos habían estado allí.

Volvió entonces a Caná de Galilea, donde había convertido el agua en vino. Había allí un funcionario real, que tenía un hijo enfermo en Cafarnaúm. Al oír éste que Jesús había venido de Judea a Galilea, fue a verlo y le rogó que fuera a curar a su hijo, que se estaba muriendo. Jesús le dijo: "Si no ven ustedes signos y prodigios, no creen". Pero el funcionario del rey insistió: "Señor, ven antes de que mi muchachito muera". Jesús le contestó: "Vete, tu hijo ya está sano".

Aquel hombre creyó en la palabra de Jesús y se puso en camino. Cuando iba llegando, sus criados le salieron al encuentro para decirle que su hijo ya estaba sano. Él les preguntó a qué hora había empezado la mejoría. Le contestaron: "Ayer, a la una de la tarde, se le quitó la fiebre". El padre reconoció

que a esa misma hora Jesús le había dicho: 'Tu hijo
ya está sano', y creyó con todos los de su casa.

Éste fue la segunda señal milagrosa que hizo Jesús al
volver de Judea a Galilea.

Amigos, en el Evangelio de hoy Jesús sana al hijo de un
funcionario real.

Sanador: esa es la razón por la que ha venido; eso es lo que Él es.
La divinidad y la humanidad se encuentran en Jesús. Sus manos,
boca y ojos, todo su cuerpo es un conducto de la energía de Dios.
¿Para qué es la energía de Dios, el propósito de Dios? Para corregir
un mundo que anda mal, un mundo que sufre. A través de cada
poro de su cuerpo, Jesús expresa el amor sanador de Dios.

En la historia, el ministerio de curación de Jesús expresa la
intención última de Dios para el mundo. En Jesús vemos indicios
de ese mundo por venir, donde no habrá más sufrimiento, ni
tristeza, ni enfermedad.

Él no está esperando que el pecador, el que sufre, el marginado
venga a Él. En el amor y la humildad, Él va hacia ellos. El mismo
Jesús, resucitado de la muerte, presente y vivo en la Iglesia, sigue
buscándonos, entrando en nuestros hogares —no espera que
vayamos arrastrándonos hacia Él, sino que nos busca con amor
y humildad—.

REFLEXIONEMOS: ¿Cómo te vuelves más abierto al amor curativo de Dios, que te está buscando constantemente? ¿Qué se necesita antes de que alguien pueda aceptar el amor de Dios?

Martes, 29 de marzo de 2022

Martes de la IV Semana de Cuaresma

SAN JUAN 5,1-16

Era un día de fiesta para los judíos, cuando Jesús subió a Jerusalén. Hay en Jerusalén, junto a la puerta de las Ovejas, una piscina llamada Betesdá, en hebreo, con cinco pórticos, bajo los cuales yacía una multitud de enfermos, ciegos, cojos y paralíticos. Entre ellos estaba un hombre que llevaba treinta y ocho años enfermo.

Al verlo ahí tendido y sabiendo que ya llevaba mucho tiempo en tal estado, Jesús le dijo: "¿Quieres curarte?" Le respondió el enfermo: "Señor, no tengo a nadie que me meta en la piscina cuando se agita el agua. Cuando logro llegar, ya otro ha bajado antes que yo". Jesús le dijo: "Levántate, toma tu camilla y anda". Al momento el hombre quedó curado, tomó su camilla y se puso a andar.

Aquel día era sábado. Por eso los judíos le dijeron al que había sido curado: "No te es lícito cargar tu camilla". Pero él contestó: "El que me curó me dijo: 'Toma tu camilla y anda'". Ellos le preguntaron: "¿Quién es el que te dijo: 'Toma tu camilla y anda'?" Pero el que había sido curado no lo sabía, porque Jesús había desaparecido entre la muchedumbre.

Más tarde lo encontró Jesús en el templo y le dijo: "Mira, ya quedaste sano. No peques más, no sea que te vaya a suceder algo peor". Aquel hombre fue y les contó a los judíos que el que lo había curado era Jesús. Por eso los judíos perseguían a Jesús, porque hacía estas cosas en sábado.

Amigos, en el Evangelio de hoy encontramos la hermosa historia de la curación de un hombre paralítico que había estado enfermo durante treinta y ocho años. Jesús ve al hombre acostado en su camilla, al lado de una piscina, y le pregunta, "¿Quieres curarte?". El hombre dice que sí, y Jesús responde, "Levántate, toma tu camilla y camina". Inmediatamente, el hombre es curado.

En ese momento la historia realmente se agita. Notamos algo que aparece con frecuencia en los Evangelios: la resistencia a la obra creadora de Dios, el intento de encontrar cualquier excusa, por débil que sea, para negar la obra, pretender que no ha sucedido, condenarla.

Uno esperaría que todos alrededor del hombre curado se regocijaran, pero sucede todo lo contrario: los líderes Judíos se enfurecen y se frustran. Ven al hombre sanado y la primera reacción es decir: "Es sábado . . . no te es lícito cargar tu camilla".

¿Por qué son tan reaccionarios? ¿Por qué no quieren que esto suceda así? A los pecadores no nos gustan los caminos de Dios. Los encontramos problemáticos y amenazantes. ¿Por qué?

Porque menoscaban los juegos de exclusión y opresión en los que confiamos para alimentar nuestros propios egos.

Dejemos entonces que esta historia nos recuerde que los caminos de Dios no son nuestros caminos y que hay alguien más grande que el Sabbat.

REFLEXIONEMOS: ¿En que se centraron los líderes judíos y qué se perdieron o se rehusaron a ver? ¿Qué los enceguecó?

_____

_____

_____

_____

_____

_____

_____

_____

_____

_____

_____

_____

Miércoles, 30 de marzo de 2022

Miércoles de la IV Semana de Cuaresma

JUAN 5,17-30

En aquel tiempo, Jesús dijo a los judíos (que lo perseguían por hacer curaciones en sábado): "Mi Padre trabaja siempre y yo también trabajo". Por eso los judíos buscaban con mayor empeño darle muerte, ya que no sólo violaba el sábado, sino que llamaba Padre suyo a Dios, igualándose así con Dios.

Entonces Jesús les habló en estos términos: "Yo les aseguro: El Hijo no puede hacer nada por su cuenta y sólo hace lo que le ve hacer al Padre; lo que hace el Padre también lo hace el Hijo. El Padre ama al Hijo y le manifiesta todo lo que hace; le manifestará obras todavía mayores que éstas, para asombro de ustedes. Así como el Padre resucita a los muertos y les da la vida, así también el Hijo da la vida a quien él quiere dársela. El Padre no juzga a nadie, porque todo juicio se lo ha dado al Hijo, para que todos honren al Hijo, como honran al Padre. El que no honra al Hijo tampoco honra al Padre.

Yo les aseguro que, quien escucha mi palabra y cree en el que me envió, tiene vida eterna y no será condenado en el juicio, porque ya pasó de la muerte a la vida.

Les aseguro que viene la hora, y ya está aquí, en que
los muertos oirán la voz del Hijo de Dios, y los que
la hayan oído vivirán. Pues así como el Padre tiene la
vida en sí mismo, también le ha dado al Hijo tener
la vida en sí mismo; y le ha dado el poder de juzgar,
porque es el Hijo del hombre.

No se asombren de esto, porque viene la hora en
que todos los que yacen en la tumba oirán mi voz
y resucitarán: los que hicieron el bien para la vida;
los que hicieron el mal, para la condenación. Yo
nada puedo hacer por mí mismo. Según lo que
oigo, juzgo; y mi juicio es justo, porque no busco mi
voluntad, sino la voluntad del que me envió".

Amigos, en el Evangelio de hoy vemos a Jesús como el juez que
muestra misericordia y amor. El sentir del Nuevo Testamento
es que el sufrimiento del mundo es producto del romper con el
ciclo de la gracia, la insistencia de que la propia vida debería ser
propiedad de uno. Cuando domina esta actitud, cuando queremos
el conocimiento del bien y del mal por nosotros mismos, cuando
queremos lo que nos está llegando, terminamos perdiendo lo
poco que pensamos que tenemos.

Jesús nos salvó por el rumbo de su obediencia. Su vida de
Salvador fue una respuesta obediente a la voluntad de Dios, un
desplazamiento de sus propios asuntos en favor de los de su Padre:

"Yo les aseguro: El Hijo no puede hacer nada por su cuenta y sólo hace lo que le ve hacer al Padre; lo que hace el Padre también lo hace el Hijo".

REFLEXIONEMOS: ¿Cuándo has desplazado tus propios asuntos para priorizar los asuntos del Dios? ¿Qué dificultades has tenido, si es que ha habido alguna, al hacer esto?

_____

_____

_____

_____

_____

_____

_____

_____

_____

_____

_____

_____

Jueves, 31 de marzo de 2022

Jueves de la IV Semana del Cuaresma

JUAN 5,31-47

En aquel tiempo, Jesús dijo a los judíos: "Si yo diera testimonio de mí, mi testimonio no tendría valor; otro es el que da testimonio de mí y yo bien sé que ese testimonio que da de mí, es válido.

Ustedes enviaron mensajeros a Juan el Bautista y él dio testimonio de la verdad. No es que yo quiera apoyarme en el testimonio de un hombre. Si digo esto, es para que ustedes se salven. Juan era la lámpara que ardía y brillaba, y ustedes quisieron alegrarse un instante con su luz. Pero yo tengo un testimonio mejor que el de Juan: las obras que el Padre me ha concedido realizar y que son las que yo hago, dan testimonio de mí y me acreditan como enviado del Padre.

El Padre, que me envió, ha dado testimonio de mí. Ustedes nunca han escuchado su voz ni han visto su rostro, y su palabra no habita en ustedes, porque no le creen al que él ha enviado.

Ustedes estudian las Escrituras pensando encontrar en ellas vida eterna; pues bien, ellas son las que dan testimonio de mí. ¡Y ustedes no quieren venir a mí para tener vida! Yo no busco la gloria que viene de los hombres; es que los conozco y sé que el amor de Dios no está en ellos. Yo he venido en nombre de mi Padre y ustedes no me han recibido. Si otro viniera en nombre propio, a ése sí lo recibirían. ¿Cómo va a ser posible que crean ustedes, que aspiran a recibir gloria los unos de los otros y no buscan la gloria que sólo viene de Dios?

No piensen que yo los voy a acusar ante el Padre; ya hay alguien que los acusa: Moisés, en quien ustedes tienen su esperanza. Si creyeran en Moisés, me creerían a mí, porque él escribió acerca de mí. Pero, si no dan fe a sus escritos, ¿cómo darán fe a mis palabras?".

Amigos, en el Evangelio de hoy Jesús declara la fuente de su comportamiento lleno de autoridad. En particular, los primeros oyentes de Jesús estaban asombrados por la autoridad de su discurso. Esto no se reducía a que hablaba con convicción y entusiasmo; más bien, esto se debía a que se rehusaba a seguir el juego de los otros rabinos, referenciando su autoridad todo el recorrido hasta llegar a Moisés. Jesús iba, por así decirlo, por encima del liderazgo de Moisés.

Quienes lo escuchaban sabían que estaban tratando con algo cualitativamente diferente a cualquier otra cosa en su tradición o experiencia religiosa. Estaban tratando con el profeta mayor que Moisés, que Israel había esperado por mucho tiempo.

Y Jesús tenía que ser más que un mero profeta. ¿Por qué? Porque todos hemos sido heridos, y ciertamente todo nuestro mundo está en peligro, por una batalla que tuvo lugar en un nivel más fundamental de existencia. El resultado es la devastación del pecado, que todos conocemos demasiado bien. ¿Quién podría tomar eso sobre sí, solo? ¿Una mera figura humana? Difícilmente. Lo que se necesita es el poder y la autoridad del Creador mismo, para rehacer y salvar al mundo, vendando sus heridas y enderezándolo.

REFLEXIONEMOS: En este pasaje del Evangelio, Jesús dijo que las obras que él hacía daban testimonio en su nombre de que era enviado por el Padre. ¿De qué manera tus obras dan testimonio de que tú también has sido enviado por Jesús en misión?

Viernes, 1 de abril de 2022

Viernes de la IV Semana de Cuaresma

JUAN 7,1-2. 10. 25-30

En aquel tiempo, Jesús recorría Galilea, pues no quería andar por Judea, porque los judíos trataban de matarlo. Se acercaba ya la fiesta de los judíos, llamada de los Campamentos.

Cuando los parientes de Jesús habían llegado ya a Jerusalén para la fiesta, llegó también él, pero sin que la gente se diera cuenta, como de incógnito. Algunos, que eran de Jerusalén, se decían: "¿No es éste al que quieren matar? Miren cómo habla libremente y no le dicen nada. ¿Será que los jefes se han convencido de que es el Mesías? Pero nosotros sabemos de dónde viene éste; en cambio, cuando llegue el Mesías, nadie sabrá de dónde viene".

Jesús, por su parte, mientras enseñaba en el templo, exclamó: "Conque me conocen a mí y saben de dónde vengo... Pues bien, yo no vengo por mi cuenta, sino enviado por el que es veraz; y a él ustedes no lo conocen. Pero yo sí lo conozco, porque procedo de él y él me ha enviado". Trataron entonces de capturarlo, pero nadie le pudo echar mano, porque todavía no había llegado su hora.

Amigos, el Evangelio de hoy se centra en un tema del que nunca diremos lo suficiente: la divinidad de Jesús. En años recientes ha habido una tendencia perturbadora —pueden observarlo claramente en el best seller de Eckhart Tolle, *El Poder del Ahora*— de convertir a Jesús en un maestro espiritual inspirador, como Buda o los místicos sufíes.

Pero si eso es todo lo que es, ¡al diablo con él! Los Evangelios nunca quedan satisfechos con una descripción tan reducida como ésta. Si bien presentan a Jesús claramente como un maestro, también saben que él es infinitamente más que eso. Afirman que hay algo más en juego con él y en nuestra relación con él.

En nuestro Evangelio de hoy, Jesús simplemente declara la relación que tiene con su Padre: "Yo no vengo por mi cuenta, sino enviado por el que es veraz; y a él ustedes no lo conocen. Pero yo sí lo conozco, porque procedo de él y él me ha enviado".

REFLEXIONEMOS: ¿Qué distingue a Jesús de otros maestros religiosos inspiradores? ¿Hay alguna otra religión que afirme tener un fundador y líder con estas mismas características? ¿Qué nos obliga a hacer la creencia en esta característica?

Sábado, 2 de abril de 2022

Sábado de la IV Semana de Cuaresma

JUAN 7,40-53

En aquel tiempo, algunos de los que habían escuchado a Jesús comenzaron a decir: "Éste es verdaderamente el profeta". Otros afirmaban: "Éste es el Mesías". Otros, en cambio, decían: "¿Acaso el Mesías va a venir de Galilea? ¿No dice la Escritura que el Mesías vendrá de la familia de David, y de Belén, el pueblo de David?" Así surgió entre la gente una división por causa de Jesús. Algunos querían apoderarse de él, pero nadie le puso la mano encima.

Los guardias del templo, que habían sido enviados para apresar a Jesús, volvieron a donde estaban los sumos sacerdotes y los fariseos, y éstos les dijeron: "¿Por qué no lo han traído?" Ellos respondieron: "Nadie ha hablado nunca como ese hombre". Los fariseos les replicaron: "¿Acaso también ustedes se han dejado embaucar por él? ¿Acaso ha creído en él alguno de los jefes o de los fariseos? La chusma ésa, que no entiende la ley, está maldita".

Nicodemo, aquel que había ido en otro tiempo a ver a Jesús, y que era fariseo, les dijo: "¿Acaso nuestra ley condena a un hombre sin oírlo primero y sin averiguar lo que ha hecho?" Ellos le replicaron: "¿También tú eres galileo? Estudia las Escrituras y verás que de Galilea no ha salido ningún profeta". Y después de esto, cada uno de ellos se fue a su propia casa.

Amigos, en el Evangelio de hoy vemos cómo la predicación de Jesús causaba divisiones. Algunos oyentes creían, pero otros querían arrestarlo.

La vida, la predicación y la misión de Jesús están basadas en la premisa de que no todo está bien con nosotros, que necesitamos una renovación de nuestra visión, actitud y comportamiento. Hace unas décadas atrás apareció un libro titulado *Yo Estoy Bien, Tú Estás Bien*. La actitud que el libro ilustra y su mismo título son contrarios al Cristianismo.

A menudo se pasa hoy por alto la realidad del pecado. Miren, nadie jamás ha disfrutado de ser acusado de pecar, pero especialmente en nuestra cultura de hoy hay una alergia a admitir nuestras fallas personales.

Una religión de salvación no tiene sentido si todo está básicamente bien con nosotros, si todo lo que necesitamos es acicalar un poco los bordes. Los santos Cristianos son aquellos que pueden soportar la horrible revelación de que el pecado no es simplemente una abstracción o algo con lo que otras personas luchan, sino un poder que acecha y opera en ellos.

Cuando perdemos de vista al pecado, perdemos de vista el Cristianismo, que es una religión de salvación.

REFLEXIONEMOS: Al examinar tu vida y tu conciencia, ¿de qué manera es el pecado "un poder que acecha y opera" en ti? ¿O tienes una "alergia para admitir los errores personales"?

Domingo, 3 de abril de 2022

V Domingo de Cuaresma

JUAN 8,1-11

En aquel tiempo, Jesús se retiró al monte de los Olivos y al amanecer se presentó de nuevo en el templo, donde la multitud se le acercaba; y él, sentado entre ellos, les enseñaba.

Entonces los escribas y fariseos le llevaron a una mujer sorprendida en adulterio, y poniéndola frente a él, le dijeron: "Maestro, esta mujer ha sido sorprendida en flagrante adulterio. Moisés nos manda en la ley apedrear a estas mujeres. ¿Tú que dices?"

Le preguntaban esto para ponerle una trampa y poder acusarlo. Pero Jesús se agachó y se puso a escribir en el suelo con el dedo. Como insistían en su pregunta, se incorporó y les dijo: "Aquel de ustedes que no tenga pecado, que le tire la primera piedra". Se volvió a agachar y siguió escribiendo en el suelo.

Al oír aquellas palabras, los acusadores comenzaron a escabullirse uno tras otro, empezando por los más viejos, hasta que dejaron solos a Jesús y a la mujer, que estaba de pie, junto a él.

> Entonces Jesús se enderezó y le preguntó: "Mujer, ¿dónde están los que te acusaban? ¿Nadie te ha condenado?" Ella le contestó: "Nadie, Señor". Y Jesús le dijo: "Tampoco yo te condeno. Vete y ya no vuelvas a pecar".

Amigos, el Evangelio de hoy presenta la historia de la mujer atrapada en adulterio, que es una de las muestras más claras sobre lo que René Girard llamó el mecanismo del chivo expiatorio.

Los escribas y fariseos le traen a Jesús una mujer que habían atrapado en adulterio. ¿Dónde habrán estado y cuánto tiempo habrán esperado para atraparla? Su afán por encontrar una víctima es testimonio de la insaciable necesidad humana de chivos expiatorios.

La novedad del Evangelio se revela en el rechazo de Jesús a contribuir a la energía de la tormenta que se avecina: "Aquel de ustedes que no tenga pecado, que le tire la primera piedra". Jesús dirige la energía de la violencia del chivo expiatorio hacia los acusadores. Él revela el peligroso secreto de que el orden inestable de la sociedad se ha basado en los chivos expiatorios. Los Padres de la Iglesia enfatizaron este punto con una clara interpretación: imaginaron que Jesús estaba escribiendo en la arena nada menos que los pecados de aquellos que amenazaban a la mujer.

Entonces vemos, al menos de forma germinal, el nuevo orden: "Vete, y de ahora en adelante no peques más". La conexión entre

Jesús y la mujer no es la consecuencia de la condena sino el fruto del perdón ofrecido y aceptado.

REFLEXIONEMOS: Reflexiona sobre la preponderancia del mecanismo del chivo expiatorio en nuestra cultura. Piensa especialmente en las oportunidades en que has sido culpable de señalar un individuo o un grupo como víctima expiatoria.

_____

_____

_____

_____

_____

_____

_____

_____

_____

_____

_____

_____

Lunes, 4 de abril de 2022

Lunes de la V Semana de Cuaresma

JUAN 8,12-20

En aquel tiempo, Jesús dijo a los fariseos: "Yo soy la luz del mundo; el que me sigue no caminará en la oscuridad y tendrá la luz de la vida".

Los fariseos le dijeron a Jesús: "Tú das testimonio de ti mismo; tu testimonio no es válido". Jesús les respondió: "Aunque yo mismo dé testimonio en mi favor, mi testimonio es válido, porque sé de dónde vengo y a dónde voy; en cambio, ustedes no saben de dónde vengo ni a dónde voy. Ustedes juzgan por las apariencias. Yo no juzgo a nadie; pero si alguna vez juzgo, mi juicio es válido, porque yo no estoy solo: el Padre, que me ha enviado, está conmigo. Y en la ley de ustedes está escrito que el testimonio de dos personas es válido. Yo doy testimonio de mí mismo y también el Padre, que me ha enviado, da testimonio sobre mí".

Entonces le preguntaron: "¿Dónde está tu Padre?" Jesús les contestó: "Ustedes no me conocen a mí ni a mi Padre; si me conocieran a mí, conocerían también a mi Padre".

Estas palabras las pronunció junto al cepo de las limosnas, cuando enseñaba en el templo. Y nadie le echó mano, porque todavía no había llegado su hora.

Amigos, en nuestro Evangelio de hoy Jesús nos anuncia quién es: "Yo soy la luz del mundo". El Evangelio de Juan contiene una serie de afirmaciones diciendo "Yo soy": "Yo soy el pan de vida"; "Yo soy el buen pastor"; "Yo soy el camino, la verdad y la vida". Y aquí realiza otra de esas afirmaciones poderosas: "Yo soy la luz".

El cristianismo es, ante todo, una forma de ver. Todo en la vida cristiana fluye y gira alrededor de la transformación de la visión. Los cristianos ven de manera diferente, y es por eso que su oración, adoración, acción y forma de ser en el mundo tienen un acento y sabor distintivos.

Y Jesús es la manera de ver. Cuando estamos inmersos en Él, cuando asumimos su mentalidad y actitud, cuando vivimos su vida, podemos ver el mundo tal como es, y no a través de la lente distorsionada de nuestro miedo y nuestro odio.

REFLEXIONEMOS: ¿Cuán profundo estás compenetrado con Jesús? ¿Piensas con su mente o con la tuya? ¿Vives su vida o la tuya? ¿Cómo cambian los resultados dependiendo el modo en que se contesta a esas dos preguntas?

Martes, 5 de abril de 2022

Martes de la V Semana de Cuaresma

JUAN 8,21-30

En aquel tiempo, Jesús dijo a los judíos: "Yo me voy y ustedes me buscarán, pero morirán en su pecado. A donde yo voy, ustedes no pueden venir". Dijeron entonces los judíos: "¿Estará pensando en suicidarse y por eso nos dice: 'A donde yo voy, ustedes no pueden venir'?" Pero Jesús añadió: "Ustedes son de aquí abajo y yo soy de allá arriba; ustedes son de este mundo, yo no soy de este mundo. Se lo acabo de decir: morirán en sus pecados, porque si no creen que Yo Soy, morirán en sus pecados".

Los judíos le preguntaron: "Entonces ¿quién eres tú?" Jesús les respondió: "Precisamente eso que les estoy diciendo. Mucho es lo que tengo que decir de ustedes y mucho que condenar. El que me ha enviado es veraz y lo que yo le he oído decir a él es lo que digo al mundo". Ellos no comprendieron que hablaba del Padre.

Jesús prosiguió: "Cuando hayan levantado al Hijo del hombre, entonces conocerán que Yo Soy y que no hago nada por mi cuenta; lo que el Padre me enseñó, eso digo. El que me envió está conmigo y no me ha dejado solo, porque yo hago siempre lo que a él le agrada". Después de decir estas palabras, muchos creyeron en él.

Amigos, en el Evangelio de hoy Jesús predice su crucifixión y el rol de su Padre en su muerte que se avecina. Lo que permitió a los primeros cristianos sostener la cruz, cantarle alabanzas, usarla como decoración, es el hecho que Dios precisamente elevó y confirmó a Jesús crucificado. "Ustedes lo mataron, pero Dios lo resucitó". Por lo tanto, Dios estuvo involucrado en este terrible acontecimiento; Dios estaba allí, conduciendo sus propósitos salvíficos.

Pero ¿qué significa esto? Ha habido numerosos intentos a lo largo de siglos de Cristianismo para darle un nombre a la naturaleza salvífica de la cruz. Déjenme ofrecer una opinión. Para los primeros cristianos era claro que, de alguna manera, en esa terrible cruz, el pecado había sido resuelto. La maldición del pecado había sido eliminada, desechada. En esa terrible cruz, Jesús sirvió como "cordero de Dios", sacrificado por el pecado.

¿Significa esto que Dios Padre es un cruel supervisor que exige un sacrificio sangriento para que su enojo sea aplacado? No, la crucifixión de Jesús fue una apertura del corazón divino para que pudiéramos ver que ningún pecado nuestro podría finalmente separarnos del amor de Dios.

REFLEXIONEMOS: ¿Qué significa personalmente para ti la Crucifixión de Jesús? ¿Crees que a través de la fe en Jesús, no hay pecado que pueda separarte del amor de Dios? ¿Cómo afecta esta fe el modo en que vives?

Miércoles, 6 de abril de 2022

Miércoles de la V Semana de Cuaresma

JUAN 8,31-42

En aquel tiempo, Jesús dijo a los que habían creído en él: "Si se mantienen fieles a mi palabra, serán verdaderamente discípulos míos, conocerán la verdad y la verdad los hará libres". Ellos replicaron: "Somos hijos de Abraham y nunca hemos sido esclavos de nadie. ¿Cómo dices tú: 'Serán libres'?".

Jesús les contestó: "Yo les aseguro que todo el que peca es un esclavo del pecado y el esclavo no se queda en la casa para siempre; el hijo sí se queda para siempre. Si el Hijo les da la libertad, serán realmente libres. Ya sé que son hijos de Abraham; sin embargo, tratan de matarme, porque no aceptan mis palabras. Yo hablo de lo que he visto en casa de mi Padre: ustedes hacen lo que han oído en casa de su padre".

Ellos le respondieron: "Nuestro padre es Abraham". Jesús les dijo: "Si fueran hijos de Abraham, harían las obras de Abraham. Pero tratan de matarme a mí, porque les he dicho la verdad que oí de Dios. Eso no lo hizo Abraham. Ustedes hacen las obras de su padre". Le respondieron: "Nosotros no somos hijos de prostitución. No tenemos más padre que a Dios".

> Jesús les dijo entonces: "Si Dios fuera su Padre me amarían a mí, porque yo salí de Dios y vengo de Dios; no he venido por mi cuenta, sino enviado por él".

Amigos, en el Evangelio de hoy el Señor dice a unos líderes judíos que están esclavizados por el pecado y que la verdad los hará libres.

Jesús estaba distinguiendo entre los pecados y *el pecado*, entre la enfermedad subyacente y sus muchos síntomas. Cuando se le preguntó al Curé d'Ars qué sabiduría había adquirido sobre la naturaleza humana en sus muchos años de escuchar confesiones, respondió: "La gente está mucho más triste de lo que parece". Blas Pascal apoya su apología del cristianismo sobre el simple hecho de que todos somos infelices. Esta tristeza universal, duradera y obstinada es el pecado.

Ahora, esto no significa que el pecado sea idéntico a la depresión psicológica. Los peores pecadores pueden ser las personas mejor adaptadas psicológicamente, y los santos más grandes pueden ser, de acuerdo a las consideraciones ordinarias, bastante infelices.

Cuando hablo de tristeza en este contexto, me refiero a la profunda sensación de insatisfacción. Queremos la verdad y, si la obtenemos, es en cuentagotas; queremos lo bueno, y lo obtenemos raramente; pareciera que sabemos lo que deberíamos ser, pero en realidad somos otra cosa. Esta frustración espiritual, esta guerra interior, esta debilidad del alma, es el pecado.

REFLEXIONEMOS: Reflexiona sobre la enfermedad subyacente del *pecado*. La naturaleza humana está contaminada por esta enfermedad y ningún ser humano, excepto la Santísima Madre, escapa a ello. ¿Cuál es la implicancia de esta afirmación para ti, personalmente?

_____

_____

_____

_____

_____

_____

_____

_____

_____

_____

_____

_____

_____

_____

Jueves, 2 de abril de 2022

Jueves de la V Semana de Cuaresma

JUAN 8,51-59

En aquel tiempo, Jesús dijo a los judíos: "Yo les aseguro: el que es fiel a mis palabras no morirá para siempre".

Los judíos le dijeron: "Ahora ya no nos cabe duda de que estás endemoniado. Porque Abraham murió y los profetas también murieron, y tú dices: 'El que es fiel a mis palabras no morirá para siempre'. ¿Acaso eres tú más que nuestro padre Abraham, el cual murió? Los profetas también murieron. ¿Quién pretendes ser tú?".

Contestó Jesús: "Si yo me glorificara a mí mismo, mi gloria no valdría nada. El que me glorifica es mi Padre, aquel de quien ustedes dicen: 'Es nuestro Dios', aunque no lo conocen. Yo, en cambio, sí lo conozco; y si dijera que no lo conozco, sería tan mentiroso como ustedes. Pero yo lo conozco y soy fiel a su palabra. Abraham, el padre de ustedes, se regocijaba con el pensamiento de verme; me vio y se alegró por ello".

Los judíos le replicaron: "No tienes ni cincuenta años, ¿y has visto a Abraham?" Les respondió Jesús: "Yo les aseguro que desde antes que naciera Abraham, Yo Soy".

> Entonces recogieron piedras para arrojárselas, pero Jesús se ocultó y salió del templo.

Amigos, hoy Jesús se refiere a sí mismo como "Yo Soy", el nombre que Dios reveló a Moisés. Reflexionemos entonces sobre este episodio del Éxodo. Mientras cuidaba ovejas en una región montañosa, Moisés ve algo extraño. Un Ángel del Señor se le aparece entre las llamas, ardiendo en un arbusto. Dios lo ve y lo llama por su nombre: "¡Moisés, Moisés! Yo soy el Dios de tus padres, el Dios de Abraham, el Dios de Isaac y el Dios de Jacob". Este es un Dios muy familiar, uno que conoce los antepasados de Moisés.

Moisés se atreve a preguntar, "cuando me pregunten cuál es su nombre, ¿qué les voy a responder?". Dios dijo a Moisés: "Mi nombre es Yo-soy". ¿Qué significa eso? Dios está diciendo, en esencia, "No puedo ser definido, descripto o delimitado. No soy un ser, sino más bien el puro acto de ser en sí mismo".

"Esto les dirás a los israelitas: 'Yo-soy me envía a ustedes'". El puro acto de ser en sí mismo no se puede evitar, y no se puede controlar. Solo podemos someternos a él en la fe. ¡Qué impactados y extrañados deben haberse sentido los que oían a Jesús cuando Él tomó este nombre para sí mismo!

REFLEXIONEMOS: ¿De qué manera has intentado evitar o controlar a Dios, el gran Yo-soy?

Viernes, 8 de abril de 2022

Viernes de la V Semana de Cuaresma

JUAN 10,31-42

En aquel tiempo, cuando Jesús terminó de hablar, los judíos cogieron piedras para apedrearlo. Jesús les dijo: "He realizado ante ustedes muchas obras buenas de parte del Padre, ¿por cuál de ellas me quieren apedrear?"

Le contestaron los judíos: "No te queremos apedrear por ninguna obra buena, sino por blasfemo, porque tú, no siendo más que un hombre, pretendes ser Dios". Jesús les replicó: "¿No está escrito en su ley: *Yo les he dicho: Ustedes son dioses?* Ahora bien, si ahí se llama dioses a quienes fue dirigida la palabra de Dios (y la Escritura no puede equivocarse), ¿cómo es que a mí, a quien el Padre consagró y envió al mundo, me llaman blasfemo porque he dicho: 'Soy Hijo de Dios'? Si no hago las obras de mi Padre, no me crean. Pero si las hago, aunque no me crean a mí, crean a las obras, para que puedan comprender que el Padre está en mí y yo en el Padre". Trataron entonces de apoderarse de él, pero se les escapó de las manos.

Luego regresó Jesús al otro lado del Jordán, al lugar donde Juan había bautizado en un principio y se

> quedó allí. Muchos acudieron a él y decían: "Juan no hizo ningún signo; pero todo lo que Juan decía de éste, era verdad". Y muchos creyeron en él allí.

Amigos, en el Evangelio de hoy Jesús nos dice que: "el Padre está en mí y yo en el Padre".

Charles Williams ha dicho que la idea maestra del cristianismo es la "coinherencia", un residir mutuo. Si desean ver esta idea en concreto, miren las páginas del Libro de Kells, una obra maestra de la antigua iluminación cristiana. Líneas entrelazadas, diseños girando entre sí, juegos de plantas, animales, planetas, seres humanos, ángeles y santos. Los alemanes lo llaman *Ineinander* (uno en el otro).

¿Cómo nos identificamos a nosotros mismos? Casi exclusivamente a través de nombrar relaciones: somos hijos, hermanos, hijas, madres, padres, miembros de organizaciones, miembros de la Iglesia, etc. Es posible desear estar solos, pero nadie ni nada es finalmente una isla. Coinherencia es de hecho el nombre del juego, en todos los niveles de la realidad.

Y Dios —que es la realidad principal— es una familia de relaciones coinherentes, cada una marcada por la capacidad de autoentrega. Aunque Padre e Hijo son realmente distintos, están totalmente implicados entre sí por un acto mutuo de amor.

REFLEXIONEMOS: ¿De qué manera el pensar en la Trinidad como una "familia de relaciones coinherentes" arroja luz sobre este misterio? ¿Qué dice esto sobre la importancia de las relaciones de amor?

Sábado, 9 de abril de 2022

Sábado de la V Semana de Cuaresma

JUAN 11,45-56

En aquel tiempo, muchos de los judíos que habían ido a casa de Marta y María, al ver que Jesús había resucitado a Lázaro, creyeron en él. Pero algunos de entre ellos fueron a ver a los fariseos y les contaron lo que había hecho Jesús.

Entonces los sumos sacerdotes y los fariseos convocaron al sanedrín y decían: "¿Qué será bueno hacer? Ese hombre está haciendo muchos prodigios. Si lo dejamos seguir así, todos van a creer en él, van a venir los romanos y destruirán nuestro templo y nuestra nación".

Pero uno de ellos, llamado Caifás, que era sumo sacerdote aquel año, les dijo: "Ustedes no saben nada. No comprenden que conviene que un solo hombre muera por el pueblo y no que toda la nación perezca". Sin embargo, esto no lo dijo por sí mismo, sino que, siendo sumo sacerdote aquel año, profetizó que Jesús iba a morir por la nación, y no sólo por la nación, sino también para congregar en la unidad a los hijos de Dios, que estaban dispersos. Por lo tanto, desde aquel día tomaron la decisión de matarlo.

> Por esta razón, Jesús ya no andaba públicamente entre los judíos, sino que se retiró a la ciudad de Efraín, en la región contigua al desierto y allí se quedó con sus discípulos.
>
> Se acercaba la Pascua de los judíos y muchos de las regiones circunvecinas llegaron a Jerusalén antes de la Pascua, para purificarse. Buscaban a Jesús en el templo y se decían unos a otros: "¿Qué pasará? ¿No irá a venir para la fiesta?".

Amigos, en el Evangelio de hoy los principales sacerdotes y fariseos se unen en un complot para matar a Jesús porque resucitó a Lázaro de la muerte.

La crucifixión de Jesús es un ejemplo clásico de la teoría del chivo expiatorio del filósofo católico René Girard. Él sostiene que una sociedad, grande o pequeña, que se encuentra en conflicto, se une a través de un acto común y culpa a un individuo o grupo supuestamente responsable del conflicto.

Es totalmente coherente con la teoría Girardiana que Caifás, la principal figura religiosa de la época, dijera a sus colegas: "Es preferible que un solo hombre muera por el pueblo y no que perezca la nación entera".

En cualquier otro contexto religioso este tipo de racionalización sería validada. Pero la Resurrección de Jesús de entre los muertos revela esta sorprendente verdad: Dios no está del lado de quienes crean chivos expiatorios, sino del lado de la víctima en el mecanismo del chivo expiatorio.

El Dios verdadero no aprueba una comunidad creada a través de la violencia; más bien aprueba lo que Jesús llamó el Reino de Dios, una sociedad basada en el perdón, el amor y la identificación con la víctima.

REFLEXIONEMOS: ¿De qué manera la muerte de Jesús como chivo expiatorio sorpresivamente "congrega en la unidad a los hijos de Dios, que estaban dispersos" (Jn 11, 52)?

_____

_____

_____

_____

_____

_____

_____

_____

_____

_____

Domingo, 10 de abril de 2022

Domingo de Ramos "De la Pasión del Señor"

LUCAS 22,14 - 23,56 (O LUCAS 23, 1-49)

Llegada la hora de cenar, se sentó Jesús con sus discípulos y les dijo: "Cuánto he deseado celebrar esta Pascua con ustedes, antes de padecer, porque yo les aseguro que ya no la volveré a celebrar, hasta que tenga cabal cumplimiento en el Reino de Dios". Luego tomó en sus manos una copa de vino, pronunció la acción de gracias y dijo: "Tomen esto y repártanlo entre ustedes, porque les aseguro que ya no volveré a beber del fruto de la vid hasta que venga el Reino de Dios".

Tomando después un pan, pronunció la acción de gracias, lo partió y se lo dio, diciendo: "Esto es mi cuerpo, que se entrega por ustedes. Hagan esto en memoria mía". Después de cenar, hizo lo mismo con una copa de vino, diciendo: "Esta copa es la nueva alianza, sellada con mi sangre, que se derrama por ustedes".

"Pero miren: la mano del que me va a entregar está conmigo en la mesa. Porque el Hijo del hombre va a morir, según lo decretado; pero ¡ay de aquel hombre por quien será entregado!" Ellos empezaron a preguntarse unos a otros quién de ellos podía ser el que lo iba a traicionar.

Después los discípulos se pusieron a discutir sobre cuál de ellos debería ser considerado como el más importante. Jesús les dijo: "Los reyes de los paganos los dominan, y los que ejercen la autoridad se hacen llamar bienhechores. Pero ustedes no hagan eso, sino todo lo contrario: que el mayor entre ustedes actúe como si fuera el menor, y el que gobierna, como si fuera un servidor. Porque, ¿quién vale más, el que está a la mesa o el que sirve? ¿Verdad que es el que está a la mesa? Pues yo estoy en medio de ustedes como el que sirve. Ustedes han perseverado conmigo en mis pruebas, y yo les voy a dar el Reino, como mi Padre me lo dio a mí, para que coman y beban a mi mesa en el Reino, y se siente cada uno en un trono, para juzgar a las doce tribus de Israel".

Luego añadió: "Simón, Simón, mira que Satanás ha pedido permiso para zarandearlos como trigo; pero yo he orado por ti, para que tu fe no desfallezca; y tú, una vez convertido, confirma a tus hermanos". Él le contestó: "Señor, estoy dispuesto a ir contigo incluso a la cárcel y a la muerte". Jesús le replicó: "Te digo, Pedro, que hoy, antes de que cante el gallo, habrás negado tres veces que me conoces".

Después les dijo a todos ellos: "Cuando los envié sin provisiones, sin dinero ni sandalias, ¿acaso les faltó algo?" Ellos contestaron: "Nada". Él añadió: "Ahora, en cambio, el que tenga dinero o provisiones, que los tome; y el que no tenga espada, que venda su manto y compre una. Les aseguro que conviene que se cumpla esto que está escrito de mí: *Fue contado entre los malhechores*, porque se acerca el cumplimiento de todo lo que se refiere a mí". Ellos le dijeron: "Señor, aquí hay dos espadas". Él les contestó: "¡Basta ya!"

Salió Jesús, como de costumbre, al monte de los Olivos y lo acompañaron los discípulos. Al llegar a ese sitio, les dijo: "Oren, para no caer en la tentación". Luego se alejó de ellos a la distancia de un tiro de piedra y se puso a orar de rodillas, diciendo: "Padre, si quieres, aparta de mí esta amarga prueba; pero que no se haga mi voluntad, sino la tuya". Se le apareció entonces un ángel para confortarlo; él, en su angustia mortal, oraba con mayor insistencia, y comenzó a sudar gruesas gotas de sangre, que caían hasta el suelo. Por fin terminó su oración, se levantó, fue hacia sus discípulos y los encontró dormidos por la pena. Entonces les dijo: "¿Por qué están dormidos? Levántense y oren para no caer en la tentación".

Todavía estaba hablando, cuando llegó una turba encabezada por Judas, uno de los Doce, quien se acercó a Jesús para besarlo. Jesús le dijo: "Judas, ¿con un beso entregas al Hijo del hombre?"

Al darse cuenta de lo que iba a suceder, los que estaban con él dijeron: "Señor, ¿los atacamos con la espada?" Y uno de ellos hirió a un criado del sumo sacerdote y le cortó la oreja derecha. Jesús intervino, diciendo: "¡Dejen! ¡Basta!" Le tocó la oreja y lo curó.

Después Jesús dijo a los sumos sacerdotes, a los encargados del templo y a los ancianos que habían venido a arrestarlo: "Han venido a aprehenderme con espadas y palos, como si fuera un bandido. Todos los días he estado con ustedes en el templo y no me echaron mano. Pero ésta es su hora y la del poder de las tinieblas".

Ellos lo arrestaron, se lo llevaron y lo hicieron entrar en la casa del sumo sacerdote. Pedro los seguía desde lejos. Encendieron fuego en medio del patio, se sentaron alrededor y Pedro se sentó también con ellos. Al verlo sentado junto a la lumbre, una criada se le quedó mirando y dijo: "Éste también estaba con él". Pero él lo negó diciendo: "No lo conozco, mujer". Poco después lo vio otro y le dijo: "Tú también eres uno de ellos". Pedro replicó: "¡Hombre, no lo soy!" Y como después de una hora, otro insistió: "Sin duda que éste también estaba con él, porque es galileo". Pedro contestó: "¡Hombre, no sé de qué hablas!" Todavía estaba hablando, cuando cantó un gallo.

El Señor, volviéndose, miró a Pedro. Pedro se acordó entonces de las palabras que el Señor le había dicho: 'Antes de que cante el gallo, me negarás tres veces', y saliendo de allí se soltó a llorar amargamente.

Los hombres que sujetaban a Jesús se burlaban de él, le daban golpes, le tapaban la cara y le preguntaban: "¿Adivina quién te ha pegado?" Y proferían contra él muchos insultos.

Al amanecer se reunió el consejo de los ancianos con los sumos sacerdotes y los escribas. Hicieron comparecer a Jesús ante el sanedrín y le dijeron: "Si tú eres el Mesías, dínoslo". Él les contestó: "Si se lo digo, no lo van a creer, y si les pregunto, no me van a responder. Pero ya desde ahora, el Hijo del hombre está sentado a la derecha de Dios todopoderoso". Dijeron todos: "Entonces, ¿tú eres el Hijo de Dios?" Él les contestó: "Ustedes mismos lo han dicho: sí lo soy". Entonces ellos dijeron: "¿Qué necesidad tenemos ya de testigos? Nosotros mismo lo hemos oído de su boca". El consejo de los ancianos, con los sumos sacerdotes y los escribas, se levantaron y llevaron a Jesús ante Pilato.

Entonces comenzaron a acusarlo, diciendo: "Hemos comprobado que éste anda amotinando a nuestra nación y oponiéndose a que se pague tributo al César y diciendo que él es el Mesías rey".

Pilato preguntó a Jesús: "¿Eres tú el rey de los judíos?" Él le contestó: "Tú lo has dicho". Pilato dijo a los sumos sacerdotes y a la turba: "No encuentro ninguna culpa en este hombre". Ellos insistían con más fuerza, diciendo: "Solivianta al pueblo enseñando por toda Judea, desde Galilea hasta aquí". Al oír esto, Pilato preguntó si era galileo, y al enterarse de que era de la jurisdicción de Herodes, se lo remitió, ya que Herodes estaba en Jerusalén precisamente por aquellos días.

Herodes, al ver a Jesús, se puso muy contento, porque hacía mucho tiempo que quería verlo, pues había oído hablar mucho de él y esperaba presenciar algún milagro suyo. Le hizo muchas preguntas, pero él no le contestó ni una palabra. Estaban ahí los sumos sacerdotes y los escribas, acusándolo sin cesar. Entonces Herodes, con su escolta, lo trató con desprecio y se burló de él, y le mandó poner una vestidura blanca. Después se lo remitió a Pilato. Aquel mismo día se hicieron amigos Herodes y Pilato, porque antes eran enemigos.

Pilato convocó a los sumos sacerdotes, a las autoridades y al pueblo, y les dijo: "Me han traído a este hombre, alegando que alborota al pueblo; pero yo lo he interrogado delante de ustedes y no he encontrado en él ninguna de las culpas de que lo acusan. Tampoco

Herodes, porque me lo ha enviado de nuevo. Ya ven que ningún delito digno de muerte se ha probado. Así pues, le aplicaré un escarmiento y lo soltaré".

Con ocasión de la fiesta, Pilato tenía que dejarles libre a un preso. Ellos vociferaron en masa, diciendo: "¡Quita a ése! ¡Suéltanos a Barrabás!" A éste lo habían metido en la cárcel por una revuelta acaecida en la ciudad y un homicidio.

Pilato volvió a dirigirles la palabra, con la intención de poner en libertad a Jesús; pero ellos seguían gritando: "¡Crucifícalo, crucifícalo!" Él les dijo por tercera vez: "¿Pues qué ha hecho de malo? No he encontrado en él ningún delito que merezca la muerte; de modo que le aplicaré un escarmiento y lo soltaré". Pero ellos insistían, pidiendo a gritos que lo crucificara. Como iba creciendo el griterío, Pilato decidió que se cumpliera su petición; soltó al que le pedían, al que había sido encarcelado por revuelta y homicidio, y a Jesús se lo entregó a su arbitrio.

Mientras lo llevaban a crucificar, echaron mano a un cierto Simón de Cirene, que volvía del campo, y lo obligaron a cargar la cruz, detrás de Jesús. Lo iba siguiendo una gran multitud de hombres y mujeres, que se golpeaban el pecho y lloraban por él. Jesús se volvió hacia las mujeres y les dijo: "Hijas de Jerusalén, no lloren por mí; lloren por ustedes y por sus hijos, porque van a venir días en que se dirá: '¡Dichosas las estériles y los vientres que no han dado a luz y los pechos que no han criado!' Entonces dirán a los montes: 'Desplómense sobre nosotros', y a las colinas: 'Sepúltennos', porque si así tratan al árbol verde, ¿qué pasará con el seco?"

Conducían, además, a dos malhechores, para ajusticiarlos con él. Cuando llegaron al lugar llamado "la Calavera", lo crucificaron allí, a él y a los malhechores, uno a su derecha y el otro a su izquierda. Jesús decía desde la cruz: "Padre, perdónalos, porque no saben lo que hacen". Los soldados se repartieron sus ropas, echando suertes.

El pueblo estaba mirando. Las autoridades le hacían muecas, diciendo: "A otros ha salvado; que se salve a sí mismo, si él es el Mesías de Dios, el elegido". También los soldados se burlaban de Jesús, y acercándose a él, le ofrecían vinagre y le decían: "Si tú eres el rey de los judíos, sálvate a ti mismo". Había, en efecto, sobre la cruz, un letrero en griego, latín y hebreo, que decía: "Éste es el rey de los judíos".

Uno de los malhechores crucificados insultaba a Jesús, diciéndole: "Si tú eres el Mesías, sálvate a ti mismo y a nosotros". Pero el otro le reclamaba, indignado: "¿Ni siquiera temes tú a Dios estando en el mismo suplicio? Nosotros justamente recibimos el pago de lo que hicimos. Pero éste ningún mal ha hecho". Y le decía a Jesús: "Señor, cuando llegues a tu Reino, acuérdate de mí". Jesús le respondió: "Yo te aseguro que hoy estarás conmigo en el paraíso".

Era casi el mediodía, cuando las tinieblas invadieron toda la región y se oscureció el sol hasta las tres de la tarde. El velo del templo se rasgó a la mitad. Jesús, clamando con voz potente, dijo: "¡Padre, en tus manos encomiendo mi espíritu!" Y dicho esto, expiró.

Aquí se arrodillan todos y se hace una breve pausa.

El oficial romano, al ver lo que pasaba, dio gloria a Dios, diciendo: "Verdaderamente este hombre era justo". Toda la muchedumbre que había acudido a este espectáculo, mirando lo que ocurría, se volvió a su casa dándose golpes de pecho. Los conocidos de Jesús se mantenían a distancia, lo mismo que las mujeres que lo habían seguido desde Galilea, y permanecían mirando todo aquello.

Un hombre llamado José, consejero del sanedrín, hombre bueno y justo, que no había estado de acuerdo con la decisión de los judíos ni con sus actos, que era natural de Arimatea, ciudad de Judea, y que aguardaba el Reino de Dios, se presentó ante Pilato

> para pedirle el cuerpo de Jesús. Lo bajó de la cruz, lo
> envolvió en una sábana y lo colocó en un sepulcro
> excavado en la roca, donde no habían puesto a
> nadie todavía. Era el día de la Pascua y ya iba a
> empezar el sábado. Las mujeres que habían seguido
> a Jesús desde Galilea acompañaron a José para ver el
> sepulcro y cómo colocaban el cuerpo. Al regresar a su
> casa, prepararon perfumes y ungüentos, y el sábado
> guardaron reposo, conforme al mandamiento.

Amigos, ¡qué oscuras son las lecturas del Domingo de Ramos! Leemos la narración de la Pasión en el Evangelio de Lucas, dejando de lado las buenas nuevas de la Resurrección. Llegar al fondo de este énfasis en el sufrimiento, descifrar su significado religioso, es descubrir el sentido teológico de este día.

¿Recuerdas la primera vez que la vida realmente te golpeó? Puede haber sido un fracaso extraordinario; puede haber sido la primera vez que te enfrentaste con violencia u odio real; puede haber sido una gran decepción; puede haber sido la muerte de alguien que amabas. Estos conflictos, estos problemas, nos afectan a todos.

El enfoque bíblico es claro: Dios prepara una operación de rescate —la formación de un pueblo sagrado, Israel, que seguiría sus mandamientos, lo adoraría adecuadamente y, por ello, se convertiría en un imán para todo el mundo. Ellos enseñarían y mostrarían la salida del dilema.

Formaría un pueblo listo para recibirlo; y Dios llevaría a cabo, gradualmente, la unidad entre divinidad y humanidad; y cierto día aparecería un siervo de Yahweh, alguien despreciado y maltratado por los hombres. Y esta misteriosa figura resolvería el problema al quitar los pecados del mundo, cargándolos a través de su propio sufrimiento.

REFLEXIONEMOS: Reflexiona sobre la maravilla del plan de salvación de Dios y cómo convierte el sufrimiento en triunfo para todos los que creen.

Lunes, 11 de abril de 2022

Lunes de la Semana Santa

JUAN 12,1-11

Seis días antes de la Pascua, fue Jesús a Betania, donde vivía Lázaro, a quien había resucitado de entre los muertos. Allí le ofrecieron una cena; Marta servía y Lázaro era uno de los que estaban con él a la mesa. María tomó entonces una libra de perfume de nardo auténtico, muy costoso, le ungió a Jesús los pies con él y se los enjugó con su cabellera, y la casa se llenó con la fragancia del perfume.

Entonces Judas Iscariote, uno de los discípulos, el que iba a entregar a Jesús, exclamó: "¿Por qué no se ha vendido ese perfume en trescientos denarios para dárselos a los pobres?" Esto lo dijo, no porque le importaran los pobres, sino porque era ladrón, y como tenía a su cargo la bolsa, robaba lo que echaban en ella.

Entonces dijo Jesús: "Déjala. Esto lo tenía guardado para el día de mi sepultura; porque a los pobres los tendrán siempre con ustedes, pero a mí no siempre me tendrán".

Mientras tanto, la multitud de judíos, que se enteró de que Jesús estaba allí, acudió, no sólo por Jesús,

sino también para ver a Lázaro, a quien el Señor había
resucitado de entre los muertos. Los sumos sacerdotes
deliberaban para matar a Lázaro, porque a causa de
él, muchos judíos se separaban y creían en Jesús.

Amigos, en el Evangelio de hoy María de Betania unge los pies de
Jesús con aceite perfumado, preparándolo para el entierro.

Este gesto —usar algo tan costoso como un frasco de perfume
completo— es criticado por Judas, quien se queja que, al menos, se
podría haber vendido y el dinero haber sido entregado a los pobres.

¿Por qué Juan usa esta historia como prefacio en su narración de
la Pasión? ¿Por qué permitir que el olor de este perfume usado por
la mujer flote, por así decirlo, a lo largo de toda la historia? Creo
que es porque este gesto extravagante muestra el significado de lo
que Jesús está a punto de hacer: una entrega radical de Sí mismo.

No hay nada calculador, cuidadoso o conservador en el actuar de
la mujer. Fluyendo desde el lugar más profundo del corazón, la
religión se resiste a las restricciones establecidas por una meticulosa
razón moralizante (aquella que exhiben a pleno los que se quejan
de la extravagancia de la mujer). En el momento culminante de
su vida, Jesús se entregará generosa, total e ilógicamente, y es por
ello que el hermoso gesto de María es una especie de obertura a la
ópera que vendrá a continuación.

REFLEXIONEMOS: ¿Cuándo has actuado "desde el lugar más profundo del corazón", sabiendo perfectamente que alguien desaprobaría seriamente tu accionar? ¿Cuál fue el resultado?

_____

_____

_____

_____

_____

_____

_____

_____

_____

_____

_____

_____

_____

_____

Martes, 12 de abril de 2022

Martes de la Semana Santa

JUAN 13,21-33. 36-38

En aquel tiempo, cuando Jesús estaba a la mesa con sus discípulos, se conmovió profundamente y declaró: "Yo les aseguro que uno de ustedes me va a entregar". Los discípulos se miraron perplejos unos a otros, porque no sabían de quién hablaba. Uno de ellos, al que Jesús tanto amaba, se hallaba reclinado a su derecha. Simón Pedro le hizo una seña y le preguntó: "¿De quién lo dice?" Entonces él, apoyándose en el pecho de Jesús, le preguntó: "Señor, ¿quién es?" Le contestó Jesús: "Aquel a quien yo le dé este trozo de pan, que voy a mojar". Mojó el pan y se lo dio a Judas, hijo de Simón el Iscariote; y tras el bocado, entró en él Satanás.

Jesús le dijo entonces a Judas: "Lo que tienes que hacer, hazlo pronto". Pero ninguno de los comensales entendió a qué se refería; algunos supusieron que, como Judas tenía a su cargo la bolsa, Jesús le había encomendado comprar lo necesario para la fiesta o dar algo a los pobres. Judas, después de tomar el bocado, salió inmediatamente. Era de noche.

Una vez que Judas se fue, Jesús dijo: "Ahora ha sido glorificado el Hijo del hombre y Dios ha sido glorificado en él. Si Dios ha sido glorificado en él, también Dios lo glorificará en sí mismo y pronto lo glorificará.

Hijitos, todavía estaré un poco con ustedes. Me buscarán, pero como les dije a los judíos, así se lo digo a ustedes ahora: 'A donde yo voy, ustedes no pueden ir'". Simón Pedro le dijo: "Señor, ¿a dónde vas?" Jesús le respondió: "A donde yo voy, no me puedes seguir ahora; me seguirás más tarde". Pedro replicó: "Señor, ¿por qué no puedo seguirte ahora? Yo daré mi vida por ti". Jesús le contestó: "¿Conque darás tu vida por mí? Yo te aseguro que no cantará el gallo, antes de que me hayas negado tres veces".

Amigos, en el Evangelio de hoy, Jesús anticipa la negación de Pedro, cuyo cumplimiento encontramos en el relato de la Pasión. Pedro niega a Jesús tres veces antes que el gallo cante y, recordando la predicción de Jesús, se derrumba y llora.

Después de la Resurrección, Pedro y los otros discípulos regresaron a Galilea para trabajar otra vez como pescadores, y allí vieron a Jesús en la otra orilla. Jesús atrae a Pedro a un círculo de conversación íntima, y allí somos testigos de un hermoso acto de dirección espiritual. Tres veces el Señor le pregunta a Pedro si lo ama, y tres veces Pedro afirma: "Señor, tú sabes que te amo".

San Agustín fue el primero en comentar que la triple declaración de amor estaba destinada a contrarrestar la triple negación. Pedro surge como arquetipo de la iglesia perdonada y enviada, porque después de cada una de sus afirmaciones, Pedro escucha la orden de cuidar a las ovejas. Una vez que volvemos a la amistad con Jesús, estamos llamados a amar a aquellos a quienes Él ama.

REFLEXIONEMOS: Reflexiona sobre esta y otras historias del Evangelio sobre Pedro. ¿De qué formas es él un arquetipo adecuado de la Iglesia?

Miércoles, 13 de abril de 2022

Miércoles de la Semana Santa

MATEO 26,14-25

En aquel tiempo, uno de los Doce, llamado Judas Iscariote, fue a ver a los sumos sacerdotes y les dijo: "¿Cuánto me dan si les entrego a Jesús?" Ellos quedaron en darle treinta monedas de plata. Y desde ese momento andaba buscando una oportunidad para entregárselo.

El primer día de la fiesta de los panes Ázimos, los discípulos se acercaron a Jesús y le preguntaron: "¿Dónde quieres que te preparemos la cena de Pascua?" Él respondió: "Vayan a la ciudad, a casa de fulano y díganle: 'El Maestro dice: Mi hora está ya cerca. Voy a celebrar la Pascua con mis discípulos en tu casa'". Ellos hicieron lo que Jesús les había ordenado y prepararon la cena de Pascua.

Al atardecer, se sentó a la mesa con los Doce, y mientras cenaban, les dijo: "Yo les aseguro que uno de ustedes va a entregarme". Ellos se pusieron muy tristes y comenzaron a preguntarle uno por uno: "¿Acaso soy yo, Señor?" Él respondió: "El que moja su pan en el mismo plato que yo, ése va a entregarme. Porque el Hijo del hombre va a morir, como está escrito de él; pero ¡ay de aquel por quien el Hijo del hombre va a ser entregado! Más le valiera a ese hombre no haber nacido". Entonces preguntó Judas, el que lo iba a entregar: "¿Acaso soy yo, Maestro?" Jesús le respondió: "Tú lo has dicho".

Amigos, en el Evangelio de hoy Jesús les pide a sus discípulos que vayan a Jerusalén y preparen una cena de Pascua.

Algo central en la comida de la Pascua era comer un cordero, que había sido sacrificado recordando los corderos de la Pascua original, y cuya sangre había sido usada para pintar los marcos de las puertas de los israelitas en Egipto. Al hacer su Última Cena una comida de Pascua, Jesús estaba señalando el cumplimiento de la profecía de Juan el Bautista, donde Él mismo sería el Cordero de Dios y el sacrificio definitivo.

Este sacrificio se hace presente sacramentalmente en cada Misa —no por el bien de Dios, que no tiene necesidad alguna, sino por nuestro bien. En la Misa, participamos del acto por el cual la divinidad y la humanidad se reconcilian, y comemos el cuerpo sacrificado y bebemos la sangre derramada del Cordero de Dios.

REFLEXIONEMOS: ¿Cómo repercute sobre ti el participar del Cuerpo y Sangre de Jesús en la Misa?

Jueves, 14 de abril de 2022

Jueves Santo – Misa vespertina de la Cena del Señor

JUAN 13,1-15

Antes de la fiesta de la Pascua, sabiendo Jesús que había llegado la hora de pasar de este mundo al Padre y habiendo amado a los suyos, que estaban en el mundo, los amó hasta el extremo.

En el transcurso de la cena, cuando ya el diablo había puesto en el corazón de Judas Iscariote, hijo de Simón, la idea de entregarlo, Jesús, consciente de que el Padre había puesto en sus manos todas las cosas y sabiendo que había salido de Dios y a Dios volvía, se levantó de la mesa, se quitó el manto y tomando una toalla, se la ciñó; luego echó agua en una jofaina y se puso a lavarles los pies a los discípulos y a secárselos con la toalla que se había ceñido.

Cuando llegó a Simón Pedro, éste le dijo: "Señor, ¿me vas a lavar tú a mí los pies?" Jesús le replicó: "Lo que estoy haciendo tú no lo entiendes ahora, pero lo comprenderás más tarde". Pedro le dijo: "Tú no me lavarás los pies jamás". Jesús le contestó: "Si no te lavo, no tendrás parte conmigo". Entonces le dijo Simón Pedro: "En ese caso, Señor, no sólo los pies, sino también las manos y la cabeza". Jesús le dijo: "El que se ha bañado no necesita lavarse más que los pies, porque

todo él está limpio. Y ustedes están limpios, aunque
no todos". Como sabía quién lo iba a entregar, por eso
dijo: 'No todos están limpios'.

Cuando acabó de lavarles los pies, se puso otra vez el
manto, volvió a la mesa y les dijo: "¿Comprenden lo
que acabo de hacer con ustedes? Ustedes me llaman
Maestro y Señor, y dicen bien, porque lo soy. Pues
si yo, que soy el Maestro y el Señor, les he lavado los
pies, también ustedes deben lavarse los pies los unos a
los otros. Les he dado ejemplo, para que lo que yo he
hecho con ustedes, también ustedes lo hagan".

Amigos, en el Evangelio de hoy Jesús lava los pies de los discípulos.
Es una proclamación visual de su nuevo mandamiento: "Les doy
un mandamiento nuevo: que se amen los unos a los otros, como
yo los he amado".

Cuando aceptamos este mandamiento caminamos por el sendero
de la alegría. Cuando internalizamos esta ley somos felices. Y así
es la paradoja: la felicidad nunca es función de llenarse; es una
maravillosa función de regalarse.

Cuando la gracia divina entra en nuestras vidas (y todo lo que
tenemos es resultado de la gracia divina), la tarea es pensar la
forma de convertirla en un regalo. En cierto sentido, la vida
divina, que sólo existe en forma de regalo, solo se puede "tener" al
vuelo, sobre la marcha.

Observen que debemos amar con un amor propiamente divino: "A ustedes los llamo amigos, porque les he dado a conocer todo lo que le he oído a mi Padre". Radical, radical, radical. Completo, excesivo, exagerado.

REFLEXIONEMOS: ¿Qué has recibido a partir del amor divino? ¿De qué forma lo estás regalando?

Viernes, 15 de abril de 2022

Viernes Santo de la Pasión del Señor

JUAN 18,1 - 19,42

En aquel tiempo, Jesús fue con sus discípulos al otro lado del torrente Cedrón, donde había un huerto, y entraron allí él y sus discípulos. Judas, el traidor, conocía también el sitio, porque Jesús se reunía a menudo allí con sus discípulos.

Entonces Judas tomó un batallón de soldados y guardias de los sumos sacerdotes y de los fariseos y entró en el huerto con linternas, antorchas y armas.

Jesús, sabiendo todo lo que iba a suceder, se adelantó y les dijo: "¿A quién buscan?" Le contestaron: "A Jesús, el nazareno". Les dijo Jesús: "Yo soy". Estaba también con ellos Judas, el traidor. Al decirles 'Yo soy', retrocedieron y cayeron a tierra. Jesús les volvió a preguntar: "¿A quién buscan?" Ellos dijeron: "A Jesús, el nazareno". Jesús contestó: "Les he dicho que soy yo. Si me buscan a mí, dejen que éstos se vayan". Así se cumplió lo que Jesús había dicho: 'No he perdido a ninguno de los que me diste'.

Entonces Simón Pedro, que llevaba una espada, la sacó e hirió a un criado del sumo sacerdote y le cortó la oreja derecha. Este criado se llamaba Malco. Dijo entonces Jesús a Pedro: "Mete la espada en la vaina. ¿No voy a beber el cáliz que me ha dado mi Padre?"

El batallón, su comandante y los criados de los judíos apresaron a Jesús, lo ataron y lo llevaron primero ante Anás, porque era suegro de Caifás, sumo sacerdote aquel año. Caifás era el que había dado a los judíos este consejo: 'Conviene que muera un solo hombre por el pueblo'.

Simón Pedro y otro discípulo iban siguiendo a Jesús. Este discípulo era conocido del sumo sacerdote y entró con Jesús en el palacio del sumo sacerdote, mientras Pedro se quedaba fuera, junto a la puerta. Salió el otro discípulo, el conocido del sumo sacerdote, habló con la portera e hizo entrar a Pedro. La portera dijo entonces a Pedro: "¿No eres tú también uno de los discípulos de ese hombre?" Él dijo: "No lo soy". Los criados y los guardias habían encendido un brasero, porque hacía frío, y se calentaban. También Pedro estaba con ellos de pie, calentándose.

El sumo sacerdote interrogó a Jesús acerca de sus discípulos y de su doctrina. Jesús le contestó: "Yo he hablado abiertamente al mundo y he enseñado continuamente en la sinagoga y en el templo, donde se reúnen todos los judíos, y no he dicho nada a escondidas. ¿Por qué me interrogas a mí? Interroga a los que me han oído, sobre lo que les he hablado. Ellos saben lo que he dicho".

Apenas dijo esto, uno de los guardias le dio una bofetada a Jesús, diciéndole: "¿Así contestas al sumo sacerdote?" Jesús le respondió: "Si he faltado al hablar, demuestra en qué he faltado; pero si he hablado como se debe, ¿por qué me pegas?" Entonces Anás lo envió atado a Caifás, el sumo sacerdote.

Simón Pedro estaba de pie, calentándose, y le dijeron: "¿No eres tú también uno de sus discípulos?" Él lo negó diciendo: "No lo soy". Uno de los criados del sumo sacerdote, pariente de aquel a quien Pedro le había cortado la oreja, le dijo: "¿Qué no te vi yo con él en el huerto?" Pedro volvió a negarlo y enseguida cantó un gallo.

Llevaron a Jesús de casa de Caifás al pretorio. Era muy de mañana y ellos no entraron en el palacio para no incurrir en impureza y poder así comer la cena de Pascua.

Salió entonces Pilato a donde estaban ellos y les dijo: "¿De qué acusan a este hombre?" Le contestaron: "Si éste no fuera un malhechor, no te lo hubiéramos traído". Pilato les dijo: "Pues llévenselo y júzguenlo según su ley". Los judíos le respondieron: "No estamos autorizados para dar muerte a nadie". Así se cumplió lo que había dicho Jesús, indicando de qué muerte iba a morir.

Entró otra vez Pilato en el pretorio, llamó a Jesús y le dijo: "¿Eres tú el rey de los judíos?" Jesús le contestó: "¿Eso lo preguntas por tu cuenta o te lo han dicho otros?" Pilato le respondió: "¿Acaso soy yo judío? Tu pueblo y los sumos sacerdotes te han entregado a mí. ¿Qué es lo que has hecho?" Jesús le contestó: "Mi Reino no es de este mundo. Si mi Reino fuera de este mundo, mis servidores habrían luchado para que no cayera yo en manos de los judíos. Pero mi Reino no es de aquí". Pilato le dijo: "¿Conque tú eres rey?" Jesús le contestó: "Tú lo has dicho. Soy rey. Yo nací y vine al mundo para ser testigo de la verdad. Todo el que es de la verdad, escucha mi voz". Pilato le dijo: "¿Y qué es la verdad?"

Dicho esto, salió otra vez a donde estaban los judíos y les dijo: "No encuentro en él ninguna culpa. Entre ustedes es costumbre que por Pascua ponga en libertad a un preso. ¿Quieren que les suelte al rey de los judíos?" Pero todos ellos gritaron: "¡No, a ése no! ¡A Barrabás!" (El tal Barrabás era un bandido).

Entonces Pilato tomó a Jesús y lo mandó azotar. Los soldados trenzaron una corona de espinas, se la pusieron en la cabeza, le echaron encima un manto color púrpura, y acercándose a él, le decían: "¡Viva el rey de los judíos!", y le daban de bofetadas.

Pilato salió otra vez afuera y les dijo: "Aquí lo traigo para que sepan que no encuentro en él ninguna culpa". Salió, pues, Jesús, llevando la corona de espinas y el manto color púrpura. Pilato les dijo: "Aquí está el hombre". Cuando lo vieron los sumos sacerdotes y sus servidores, gritaron: "¡Crucifícalo, crucifícalo!" Pilato les dijo: "Llévenselo ustedes y crucifíquenlo, porque yo no encuentro culpa en él". Los judíos le contestaron: "Nosotros tenemos una ley y según esa ley tiene que morir, porque se ha declarado Hijo de Dios".

Cuando Pilato oyó estas palabras, se asustó aún más, y entrando otra vez en el pretorio, dijo a Jesús: "¿De dónde eres tú?" Pero Jesús no le respondió. Pilato le dijo entonces: "¿A mí no me hablas? ¿No sabes que tengo autoridad para soltarte y autoridad para crucificarte?" Jesús le contestó: "No tendrías ninguna autoridad sobre mí, si no te la hubieran dado de lo alto. Por eso, el que me ha entregado a ti tiene un pecado mayor".

Desde ese momento Pilato trataba de soltarlo, pero los judíos gritaban: "¡Si sueltas a ése, no eres amigo del César!; porque todo el que pretende ser rey, es enemigo del César". Al oír estas palabras, Pilato sacó a Jesús y lo sentó en el tribunal, en el sitio que llaman "el Enlosado" (en hebreo Gábbata). Era el día de la preparación de la Pascua, hacia el mediodía. Y dijo Pilato a los judíos: "Aquí tienen a su rey". Ellos gritaron: "¡Fuera, fuera! ¡Crucifícalo!" Pilato les dijo: "¿A su rey voy a crucificar?" Contestaron los sumos sacerdotes: "No tenemos más rey que el César". Entonces se lo entregó para que lo crucificaran.

Tomaron a Jesús, y él, cargando con la cruz se dirigió hacia el sitio llamado "la Calavera" (que en hebreo se dice Gólgota), donde lo crucificaron, y con él a otros dos, uno de cada lado, y en medio Jesús. Pilato mandó escribir un letrero y ponerlo encima de la cruz; en él estaba escrito: 'Jesús el nazareno, el rey de los judíos'. Leyeron el letrero muchos judíos, porque estaba cerca el lugar donde crucificaron a Jesús y estaba escrito en hebreo, latín y griego. Entonces los sumos sacerdotes de los judíos le dijeron a Pilato: "No escribas: 'El rey de los judíos', sino: 'Éste ha dicho: Soy rey de los judíos'". Pilato les contestó: "Lo escrito, escrito está".

Cuando crucificaron a Jesús, los soldados cogieron su ropa e hicieron cuatro partes, una para cada soldado, y apartaron la túnica. Era una túnica sin costura, tejida toda de una pieza de arriba a abajo. Por eso se dijeron: "No la rasguemos, sino echemos suertes para ver a quién le toca". Así se cumplió lo que dice la Escritura: *Se repartieron mi ropa y echaron a suerte mi túnica.* Y eso hicieron los soldados.

Junto a la cruz de Jesús estaban su madre, la hermana de su madre, María la de Cleofás, y María Magdalena. Al ver a su madre y junto a ella al discípulo que tanto quería, Jesús dijo a su madre: "Mujer, ahí está tu hijo". Luego dijo al discípulo: "Ahí está tu madre". Y desde aquella hora el discípulo se la llevó a vivir con él.

Después de esto, sabiendo Jesús que todo había llegado a su término, para que se cumpliera la Escritura dijo: "Tengo sed". Había allí un jarro lleno de vinagre. Los soldados sujetaron una esponja empapada en vinagre a una caña de hisopo y se la acercaron a la boca. Jesús probó el vinagre y dijo: "Todo está cumplido", e inclinando la cabeza, entregó el espíritu.

Aquí se arrodillan todos y se hace una breve pausa.

Entonces, los judíos, como era el día de la preparación de la Pascua, para que los cuerpos de los ajusticiados no se quedaran en la cruz el sábado, porque aquel sábado era un día muy solemne, pidieron a Pilato que les quebraran las piernas y los quitaran de la cruz. Fueron los soldados, le quebraron las piernas a uno y luego al otro de los que habían sido crucificados con él. Pero al llegar a Jesús, viendo que ya había muerto, no le quebraron las piernas, sino que uno de los soldados le traspasó el costado con una lanza e inmediatamente salió sangre y agua.

El que vio da testimonio de esto y su testimonio es verdadero y él sabe que dice la verdad, para que también ustedes crean. Esto sucedió para que se cumpliera lo que dice la Escritura: *No le quebrarán ningún hueso*; y en otro lugar la Escritura dice: *Mirarán al que traspasaron.*

Después de esto, José de Arimatea, que era discípulo de Jesús, pero oculto por miedo a los judíos, pidió a Pilato que lo dejara llevarse el cuerpo de Jesús. Y Pilato lo autorizó. Él fue entonces y se llevó el cuerpo.

Llegó también Nicodemo, el que había ido a verlo de noche, y trajo unas cien libras de una mezcla de mirra y áloe.

> Tomaron el cuerpo de Jesús y lo envolvieron en lienzos con esos aromas, según se acostumbra enterrar entre los judíos. Había un huerto en el sitio donde lo crucificaron, y en el huerto, un sepulcro nuevo, donde nadie había sido enterrado todavía. Y como para los judíos era el día de la preparación de la Pascua y el sepulcro estaba cerca, allí pusieron a Jesús.

Amigos, el Evangelio de San Juan de hoy es la narrativa maravillosa sobre la Pasión de Cristo.

En la cruz, Jesús se involucró muy de cerca con el pecado (porque allí es donde nos encontramos los pecadores) y permitió que el fuego y la furia del pecado lo destruyeran, incluso mientras nos protegía.

Podemos ver, con especial claridad, por qué los primeros cristianos asociaron al Jesús crucificado con el siervo sufriente de Isaías. Al soportar el dolor de la cruz, Jesús realmente cargó con nuestros pecados; por sus llagas fuimos, de hecho, curados.

Y es por ello que la muerte sacrificial de Jesús es agradable al Padre. El Padre envió a Su Hijo al olvido de Dios, al pantano del pecado y la muerte, no porque se deleitara al ver sufrir a su Hijo, sino porque quería que su Hijo llevara la luz divina al lugar más oscuro.

No es la agonía del Hijo en sí misma lo que agrada a Su Padre, sino la obediencia voluntaria del Hijo al ofrecer su Cuerpo en sacrificio para quitar el pecado del mundo. San Anselmo dijo que la muerte del Hijo restableció la relación correcta entre la divinidad y la humanidad.

REFLEXIONEMOS: ¿Qué amó y qué odió Jesús cuando estuvo en la cruz? ¿De qué manera buscarás amar y odiar las mismas cosas?

Sábado, 16 de abril de 2022

Sábado Santo

LUCAS 24,1-12

El primer día después del sábado, muy de mañana, llegaron las mujeres al sepulcro, llevando los perfumes que habían preparado. Encontraron que la piedra ya había sido retirada del sepulcro y entraron, pero no hallaron el cuerpo del Señor Jesús.

Estando ellas todas desconcertadas por esto, se les presentaron dos varones con vestidos resplandecientes. Como ellas se llenaron de miedo e inclinaron el rostro a tierra, los varones les dijeron: "¿Por qué buscan entre los muertos al que está vivo? No está aquí; ha resucitado. Recuerden que cuando estaba todavía en Galilea les dijo: 'Es necesario que el Hijo del hombre sea entregado en manos de los pecadores y sea crucificado y al tercer día resucite' ". Y ellas recordaron sus palabras.

Cuando regresaron del sepulcro, las mujeres anunciaron todas estas cosas a los Once y a todos los demás. Las que decían estas cosas a los apóstoles eran María Magdalena, Juana, María (la madre de Santiago) y las demás que estaban con ellas. Pero todas estas palabras les parecían desvaríos y no les creían.

Pedro se levantó y corrió al sepulcro. Se asomó, pero sólo vio los lienzos y se regresó a su casa, asombrado por lo sucedido.

Amigos, ¡qué maravillosas son las lecturas de Pascua! Tan llenas de profundidad teológica, tan ricas espiritualmente, tan marcadas por la alegría.

A la luz de la Resurrección, sabemos que la intención más profunda de Dios para con nosotros es la vida, y una vida al máximo. Él no quiere que la muerte tenga la última palabra; Él quiere la renovación de los cielos y la tierra.

Por ello, debemos dejar de vivir en un espacio intelectual y espiritual de muerte. Tenemos que dejar de vivir intelectualmente en un mundo dominado por la muerte y el miedo a ella. Tenemos que ajustar nuestra actitud y así responder adecuadamente a lo que Dios realmente pretende de nosotros y del mundo.

Aunque rara vez lo admitimos, vivimos atormentados por la muerte. El miedo a ella se cierne sobre nosotros como una nube y condiciona nuestros pensamientos y acciones. ¿Y si realmente, en el fondo, creyéramos que la muerte no tiene la última palabra? ¿Viviríamos con tal temor, en ese espacio espiritual tan estrecho? ¿O veríamos que la protección de nuestro ego no debería ser la preocupación número uno de nuestra existencia?

REFLEXIONEMOS: ¿Cómo te sientes, honestamente, acerca de tu propia muerte? ¿Sucumbes ante la manera de la cultura de ignorar la muerte? ¿Temes a la muerte?

_____

_____

_____

_____

_____

_____

_____

_____

_____

_____

_____

_____

_____

_____

_____

_____

Domingo, 17 de abril de 2022

Domingo de Pascua – La Resurrección del Señor

JUAN 20,1-9

El primer día después del sábado, estando todavía oscuro, fue María Magdalena al sepulcro y vio removida la piedra que lo cerraba. Echó a correr, llegó a la casa donde estaban Simón Pedro y el otro discípulo, a quien Jesús amaba, y les dijo: "Se han llevado del sepulcro al Señor y no sabemos dónde lo habrán puesto".

Salieron Pedro y el otro discípulo camino del sepulcro. Los dos iban corriendo juntos, pero el otro discípulo corrió más aprisa que Pedro y llegó primero al sepulcro, e inclinándose, miró los lienzos puestos en el suelo, pero no entró.

En eso llegó también Simón Pedro, que lo venía siguiendo, y entró en el sepulcro. Contempló los lienzos puestos en el suelo y el sudario, que había estado sobre la cabeza de Jesús, puesto no con los lienzos en el suelo, sino doblado en sitio aparte. Entonces entró también el otro discípulo, el que había llegado primero al sepulcro, y vio y creyó, porque hasta entonces no habían entendido las Escrituras, según las cuales Jesús debía resucitar de entre los muertos.

Amigos, nuestro Evangelio de Pascua contiene el magnífico relato de la Resurrección a cargo de San Juan. Juan indica que era temprano en la mañana del primer día de la semana. Todavía estaba oscuro —tal y como fue al inicio de los tiempos antes de que Dios dijera "Hágase la luz". Pero una luz estaba a punto de brillar, y una nueva creación estaba por surgir.

La roca había sido retirada de la entrada. Esta roca, que bloqueaba la entrada al sepulcro de Jesús, representa el carácter final de la muerte. Cuando alguien al que amamos muere, es como si una gran roca hubiera sido corrida entre nosotros, bloqueando permanentemente nuestro acceso a ellos. Es por esta razón que lloramos ante la muerte —no sólo por el dolor, sino también por una suerte de frustración existencial.

Pero en el caso de Jesús vemos que esta roca ha sido retirada. Sin lugar a dudas, los primeros discípulos debieron pensar que algún ladrón de sepulcros había sido el responsable. Pero la maravillosa ironía de Juan es que el mayor de los ladrones de sepulcros efectivamente había hecho su obra. El profeta Ezequiel dice lo siguiente, "Yo mismo abriré sus sepulcros, los haré salir de ellos".

Lo que tanto soñaban, lo que había perdurado como esperanza contra toda esperanza, ahora se había vuelto realidad. Dios ha abierto el sepulcro de su Hijo, y las ataduras de la muerte han sido rotas para siempre.

REFLEXIONEMOS: ¿Aunque la historia es contada sólo durante el domingo de Pascua, de qué manera la Resurrección impregna de esperanza tu vida diaria?

REFLEXIONES DEL
VÍA CRUCIS
PARA CUARESMA

Jesús es Condenado a Muerte

Cuando Israel soñaba con un nuevo David, soñaba con un rey que uniría la nación, limpiaría el templo, derrotaría a los enemigos de Israel y luego reinaría sobre el mundo entero. Solamente con este telón de fondo podemos apreciar lo que Jesús hacía y cómo fue percibido. Las primeras palabras que salieron de su boca—y el tema central de su predicación—se refirieron al reino de Dios. Anunciaba un nuevo reino, centrado en sí mismo.

Sus palabras fueron percibidas, y con razón, como palabras de combate, porque si un nuevo reino está por venir, el antiguo reino tiene que desaparecer, y si un nuevo Rey ha llegado, el viejo rey tiene que ceder. Jesús se esforzó por unir la nación, volver a juntar las tribus. Esta fue la razón de su mesa abierta en hermandad, su contacto con pecadores y recaudadores de impuestos, su inclusión de los enfermos, y los marginados. En la ciudad de David, limpió el templo y prometió que establecería uno nuevo. Y a lo largo de su vida y ministerio, Jesús se opuso a los antiguos reyes. Lo vemos desde el principio, en las narrativas de su infancia. Jesús se presenta como una alternativa a Quirinio y Augusto, y su llegada, incluso como un bebé, es suficiente para atemorizar a Herodes y a toda Jerusalén.

Esta confrontación entre un orden antiguo y uno nuevo llega a su máxima expresión cuando Jesús se presenta ante Poncio Pilato, quien era el representante local de César. Pilato, sin duda seguro de su poder y autoridad, evalúa a este criminal: "¿Eres tú el Rey de los Judíos?" Pilato dice esto de un modo puramente político y mundano: "¿Estás tú tratando de tomar control político de esta parte del

Imperio Romano?" La escena está llena de ironía, ya que cualquier Judío habría sabido la importancia de la pregunta de Pilato. Realmente estaba preguntando: "¿Eres tú el rey del mundo? ¿Eres tú el nuevo David, destinado a reinar sobre todas las naciones?"

Jesús le responde de modo directo: "Mi reino no pertenece a este mundo". Esto no significa que Jesús no esté preocupado por las realidades de la política, ni con las muy terrenales preocupaciones por justicia, paz y orden. Sino que significa que el reino que ha estado anunciando no es un nuevo orden político, basado como los demás en amenazas y violencia. Esta es la razón por la que aclara de inmediato que sus servidores no están "luchando para evitar que me entreguen". Lo que anuncia es el reino de Dios, el ordenamiento no-violento y compasivo de Dios. Sin haberse impresionado, Pilato le pregunta: "¿Qué es la verdad?" Más tarde condena a Jesús a la muerte. Pilato juega el típico juego mundano de la política del poder y, bajo todas las apariencias, gana, como lo parecen hacer las personas despiadadas y violentas.

Pero a través de la cruz y la Resurrección, Jesús gana. Él superó la violencia del pecado y la devora en el perdón divino. Derrota a los enemigos de Israel. Y establece su propio cuerpo como el nuevo templo—razón por la cual sangre y agua brotaron de él. Reunió a todos para sí mismo, como se esperaba del rey Davídico: "Cuando el Hijo del hombre sea resucitado, atraerá a todos hacia sí mismo". En resumen, es el nuevo Rey, aquel a quien debemos nuestra lealtad final.

Jesús toma su Cruz

Todos nosotros pecadores vemos que el universo gira en torno a nuestro ego, nuestras necesidades, nuestros proyectos, nuestros planes y nuestros gustos y aversiones. La verdadera conversión—la *metanoia* de la cual habla Jesús—es mucho más que una reforma moral, aunque la incluya. Tiene que ver con un cambio completo de conciencia, una nueva forma de ver la vida.

Jesús ofreció una enseñanza que debió haber sido desgarradora para su audiencia del siglo primero: "Si alguno quiere venir en pos de mí, niéguese a sí mismo, tome su cruz y sígame".

Sus oyentes sabían lo que significaba la cruz: una muerte en absoluta agonía, desnudez y humillación. Lo sabían en todo su terrible poder.

¿Entonces, por qué el Hijo toma la cruz? ¿Porque Dios Padre está enojado? ¿Porque Dios quiere demostrar su poder sobre nosotros? ¿Porque Dios necesita algo? No, Él viene puramente por amor, por el puro deseo de Dios de que florezcamos: "Dios amó tanto al mundo que dio a su Hijo único, para que todo el que crea en Él no perezca sino que tenga vida eterna". Dios Padre no es una divinidad patética cuyo honor personal ha sido magullado y necesita ser restaurado; más bien, Dios es un padre que arde de compasión por sus hijos que se encuentran en peligro. ¿Odia el Padre a los pecadores? No, pero odia el pecado. ¿Alberga indignación ante el injusto? No, pero desprecia la injusticia. Y así envía a su Hijo—no para verlo sufrir, sino para arreglar las cosas. San Anselmo, el gran teólogo medieval a quien se suele culpar injustamente por la cruel teología de la satisfacción, fue muy claro a este respecto. Nosotros, los pecadores, somos como diamantes caídos en el lodo; hechos a imagen de Dios, nos hemos ensuciado con violencia y odio. En su pasión por restablecer la belleza de su creación, Dios descendió al lodo del pecado y la muerte, sacó los diamantes y los pulió. Al hacerlo, por supuesto, tenía que ensuciarse. Este hundimiento en la suciedad—esta solidaridad divina con los perdidos— es el "sacrificio" que el Hijo hace para placer infinito del Padre. Es un sacrificio que no expresa ira o venganza sino compasión.

Si Dios es amor que se olvida de sí mismo hasta el punto mismo de la muerte, entonces debemos ser ese mismo amor. Si Dios está dispuesto a abrir su propio corazón, entonces debemos estar dispuestos a abrir nuestro corazón por los demás. La cruz, en definitiva, debe convertirse en la estructura misma de la vida cristiana.

Hay una frase del iluminador de *La Biblia de San Juan* que dice: "Tenemos que amar nuestra forma de salir de esto". No hay debilidad, ceguera, o insignificancia alguna en esta convicción. Cuando amamos desmesuradamente, no es que estemos deliberadamente cegándonos a realidades morales—sino todo lo contrario. El amor no es un sentimiento sino, como dijo Dostoievsky, "una cosa dura y terrible".

Esto es precisamente lo que Jesús muestra en su terrible cruz. Y esto es justo lo que nosotros, sus seguidores, debemos imitar. Tomar la cruz significa no solo estar dispuestos a sufrir, sino estar dispuestos a sufrir *como Él lo hizo*, absorbiendo la violencia y el odio a través de nuestro perdón y no-violencia.

Jesús cae por Primera Vez

ESTACIÓN III

En el camino al Calvario, Jesús—el Hijo de Dios—cayó bajo el peso de la cruz.

Hace algunos años, di una homilía sobre la benevolente y providencial dirección del cosmos por parte de Dios. Sentí que el sermón había sido inspirador e informativo, y numerosas personas me felicitaron después confirmando mi propia impresión. Pero después que casi todos pasaran delante mío, un hombre mayor se acercó y, mirándome con recelo, dijo: "Padre, estoy en la búsqueda y su homilía no me ayudó". Respondí, "¿Qué quiere usted decir?"

Luego procedió a contarme una terrible historia. Tenía dos nietas, de cinco y siete años de edad, ambas con una enfermedad terminal que los médicos no podían controlar ni entender. Todo lo que sabían con certeza era que ambas morirían y que, antes de la muerte, se quedarían ciegas. Me dijo que la hija mayor acababa de perder la vista y que la menor estaba despierta toda la noche llorando de terror mientras contemplaba su futuro propio. "Padre", dijo, "mi búsqueda es descubrir por qué Dios está haciendo esto a mis nietas. He estado con sacerdotes, pastores, rabinos y gurús, y nunca obtuve una muy buena respuesta—y francamente, su homilía arrojó muy poca luz". Me quedé atónito, aturdido. Nunca antes se me había presentado, de modo tan concreto y desafiante, el problema del mal—esto es, reconciliar la bondad de Dios con la presencia del sufrimiento.

Le dije que no tenía una respuesta concreta a su pregunta, pero que su pregunta en sí era santa, porque significaba que no había renunciado a Dios. Él todavía estaba buscando a Dios. Y si sigues esa pregunta hasta el final, serás guiado al corazón del misterio cristiano: que Dios Padre envía a su Hijo a lo peor de nuestro sufrimiento, a lo que más nos asusta. Y en eso tenemos la respuesta— no una que satisfaga nuestra curiosidad por completo, sino una respuesta espiritual profundamente poderosa: que Dios no quita nuestro sufrimiento, sino que entra en él con nosotros y, por lo tanto, lo santifica.

Jesús se encuentra con
Su Santísima Madre

La Pasión de Cristo fue una de las películas religiosas más provocativas y populares en décadas. Un cosa que me impresionó especialmente cuando vi esa película fue el papel de María, la madre de Jesús. Nos vemos obligados a ver ciertas escenas a través de sus ojos. Al comienzo del Evangelio de Lucas, se nos dice que María "contemplaba estas cosas, reflexionando sobre ellas en su corazón". Ella es la teóloga por excelencia. Ella es la que entiende.

Si María es a través de quien Cristo nació, y si la Iglesia es de hecho el Cuerpo Místico de Cristo, entonces ella tiene que ser, en un sentido muy real, Madre de la Iglesia. Ella es a través de quien Jesús continúa naciendo. Oímos en el Evangelio que, mientras moría en la cruz, Jesús miró a su madre y al discípulo a quien amaba, y le dijo a María, "Mujer, he aquí a tu hijo", luego a Juan, "He aquí a tu madre". Nos dicen que "desde esa hora el discípulo la llevó a su casa". Este texto respalda una antigua tradición de que el apóstol Juan se habría llevado a María con él cuando viajó a Éfeso en Asia Menor y que ambos terminaron sus días en esa ciudad. De hecho, en la cima de una colina alta que domina el mar Egeo, en las afueras de Éfeso, hay una vivienda modesta que la tradición sostiene ser la casa de María. La inmaculada María, Madre de Dios, asunta en cuerpo y alma al Cielo, no tiene un interés meramente histórico o teórico, ni es simplemente un ejemplo espiritual. En cambio, como "Reina de todos los santos", María es una presencia constante, actor en la vida de la Iglesia. Al confiarle María a Juan, en una manera real Jesús confió María a todos aquellos que sean amigos suyos a lo largo de los siglos.

Por supuesto, esto no es para confundir a María con el Salvador, sino para insistir en su misión como mediadora e intercesora. Al final de la gran oración del "Ave María", los católicos pedimos a María que ore por nosotros "ahora y en la hora de nuestra muerte", lo que indica que durante toda la vida, María es un canal privilegiado a través del cual fluye la gracia de Cristo dentro del Cuerpo Místico. Su tarea básica es siempre atraer las personas hacia una amistad profunda con su hijo. La convicción de la Iglesia es que la Santísima Madre continúa diciendo "sí" a Dios y "yendo apresuradamente" en su misión en todo el mundo. Generalmente lo hace de manera silenciosa y oculta, respondiendo a la oración e intercediendo por la Iglesia. Pero a veces lo hace de una manera notable, irrumpiendo en nuestro mundo de manera sorprendente y visible.

Dios se deleita en atraer causas secundarias a la densa complejidad de su plan providencial, otorgándoles el honor de cooperar con Él y sus planes. La Virgen María, sierva del Señor, es la más humilde de estos humildes instrumentos—y por lo tanto, la más efectiva.

Simón el Cirineo está para ayudar a Jesús a llevar la Cruz

En toda su vida pública, Jesús había resistido las personas que afirmaban que era el Mesías. Les ordenaba severamente que se callaran. Cuando llegaron para llevárselo y hacerle rey, se escabulló. Pero el Domingo de Ramos, está dispuesto a ser proclamado—precisamente en ese momento entra a Jerusalén sobre un burro. Y el Evangelio es claro: este es un borrico, un potrillo de burro, sobre el que nadie se había sentado antes. Es decir, este es un burro joven, inexperto, poco impresionante. Y este es el animal sobre el cual Jesús entra triunfante en la ciudad.

Un burro humilde, puesto al servicio, es un modelo de discipulado. Nuestro propósito en la vida no es llamar la atención sobre nosotros mismos, tener una carrera brillante, engrandecer nuestros egos; más bien, nuestro propósito es servir las necesidades del Maestro, cooperar con su trabajo del modo que lo considere oportuno.

¿Cuál fue la tarea del burro? Era un portador de Cristo. Él llevó al Señor a Jerusalén, allanando el camino de la Pasión y redención del mundo. ¿Alguien lo habría notado particularmente? Probablemente no, excepto quizás para reírse de este animal ridículo.

¿Cuál es la tarea de cada discípulo? Lo mismo: ser un portador de Cristo para el mundo. ¿Podríamos pasar desapercibidos en esto? Sí. ¿Podríamos, si somos reconocidos, causar que se rían de nosotros? Por supuesto. Pero el Maestro nos necesita, y por ello realizamos esta tarea esencial del teodrama.

Durante la Pasión de Cristo, hay una figura que imita al burro: y es Simón el Cirineo. Los romanos no querían que Jesús muriera antes de la crucifixión. Y así pusieron en su servicio (¡qué tan parecido al burro!) a un hombre de Cirene, lugar en el norte de África, que probablemente era un visitante que había venido a Jerusalén para la Pascua.

¡Qué peligroso le debió haber parecido esto! Pero él sigue las instrucciones y lleva la cruz, soportando algo del sufrimiento de Jesús. Simón el Cirineo debe haber tenido muchos otros planes para su vida, muchos otros sueños y ambiciones. Pero en el momento de la verdad, el Maestro lo necesitaba—y él respondió.

Y su historia se cuenta hasta el día de hoy. "La vida es lo que nos sucede mientras estamos ocupado haciendo otros planes". Tu vida no es acerca de ti. Recuerda que el Maestro te necesita. Y lo único que importa es si respondes, y cómo lo haces.

Verónica limpia el Rostro de Jesús

La tradición dice que una mujer llamada Verónica limpió la sangre y el sudor del rostro de Jesús mientras se dirigía al Calvario, dejando su imagen impresa milagrosamente en el velo.

¿Qué vemos en el rostro de Cristo? Vemos al Hijo de Dios, el Verbo divino hecho carne. Para usar el lenguaje de San Pablo, Dios ha sacado a la luz "el conocimiento de la gloria de Dios reflejada en el rostro de Cristo". En su humanidad humilde y por medio de ella, brilla su divinidad. La proximidad de su divinidad de ninguna manera compromete la integridad de su humanidad, sino que la hace brillar con mayor belleza. Esta es la versión del Nuevo Testamento sobre la zarza ardiente. El Jesús, divino y humano, es evangélicamente convincente. Si es solo divino, entonces no nos toca; si es solo humano, no puede salvarnos. Su esplendor consiste en la unión de las dos naturalezas. Este es el Cristo que quiere reinar como Señor de nuestras vidas en cada detalle.

Y vemos, en el velo de Verónica, al Cordero sufriente de Dios que quita los pecados del mundo. El Señor de la Vida vino y lo matamos. Por lo tanto, la ocultación, la negación, el encubrimiento, la simulación, las excusas y los subterfugios—todos los trucos de auto-justificación— están fuera de discusión. Nuestra propia disfunción está a la vista del público en cada herida del cuerpo de Jesús. Cuando nos dirigimos hacia la luz de Cristo crucificado, cada mancha en el cristal de la ventana del alma se hace visible. En el rostro atormentado de Cristo crucificado, vemos que algo ha ido terriblemente mal con nosotros; que nadie está bien; que somos como prisioneros encadenados dentro de una prisión a prueba de fugas; que estamos en guerra con nosotros mismos; que el Faraón ha esclavizado a los israelitas y los ha puesto al servicio; que estamos en juicio; que todo lo que podemos hacer es gritar, "Oh Ven, Oh Ven, Emanuel".

Pero en el velo de Verónica, también vemos el rostro de la misericordia. Cuando nos habíamos adentrado en el frío y lejano país del pecado, el amor de Dios vino a buscarnos; cuando nos hundimos bajo las olas, ese amor fue más profundo; cuando nos habíamos encerrado en la cueva sombría de nuestra autoestima y reproche, ese amor se agachó y entró con una vela. Y esta es la razón por la que los cristianos no escondemos la cara terrible del Cristo moribundo. Por eso se lo mostramos al mundo. En las agonías de Jesús, Dios está quitando nuestra agonía. Sabemos que ya no somos nosotros quienes vivimos, sino Cristo quien vive en nosotros; nos damos cuenta de que nada puede separarnos nunca del amor de Dios. La Iglesia no *tiene* una misión; es una misión, y su propósito es hacer que el rostro misericordioso de Jesús mire a todos en el mundo.

Jesús cae por Segunda Vez

Bajo el peso aplastante de la cruz, Jesús cae por segunda vez.

El profeta Jeremías pronunció un anhelo y una esperanza que debieron haber estado profundamente enraizados en la conciencia colectiva de la nación. Él expresa la promesa de Yahvé de que Él mismo un día cumpliría el pacto y perdonaría los pecados de la gente. En el capítulo treinta y uno del libro de Jeremías, encontramos estas palabras extraordinarias: "Llegarán los días, dice el Señor, en que estableceré una nueva Alianza con la casa de Israel y la casa de Judá. No será como la Alianza que establecí con sus padres...que ellos rompieron... Ésta será la alianza nueva que voy a hacer con la casa de Israel: Pondré mi Ley dentro de ellos, y la escribiré en sus corazones; yo seré su Dios y ellos serán mi Pueblo". Todos los profetas saben que los convenios que Dios ha hecho con Israel—a través de Abraham, Moisés y David—han fracasado debido a la infidelidad del pueblo. Pero Jeremías sueña que un día, a través de la intervención directa de Yahvé, surgirá un Israel fiel, un pueblo que tiene un corazón para el Señor, que considera la ley no como una imposición externa sino como una alegría.

¿Cómo se llevará a cabo esta renovación? ¿Cómo plantará Yahvé una ley tan profunda en los hijos de Israel que el cumplimiento con la Alianza sea sin esfuerzo? Para encontrar las respuestas, debemos recurrir a algunos textos misteriosos en el libro del profeta Isaías, textos que fascinaron especialmente a los primeros cristianos.

En el capítulo cincuenta y dos de Isaías, encontramos una referencia a una figura llamada "el Servidor del Señor", quien, se nos dice, "será exaltado y elevado a una altura muy grande". Las naciones de la tierra verán a Él en esta posición prominente, pero no estarán mirando a un espléndido guerrero o un majestuoso vencedor. En su lugar, se asombrarán "porque estaba tan desfigurado que su aspecto no era el de un hombre y su apariencia no era más la de un ser humano". En el capítulo cincuenta y tres, la descripción de este siervo continúa: "Sin forma ni hermosura que atrajera nuestras miradas, sin un aspecto que pudiera agradarnos. Despreciado, desechado por los hombres, abrumado de dolores y habituado al sufrimiento". Y luego se aclara la razón de su deformación y angustia: "Él soportó nuestros sufrimientos y cargó con nuestras dolencias.... Él fue traspasado por nuestras rebeldías y triturado por nuestras iniquidades...y el Señor hizo recaer sobre Él las iniquidades de todos nosotros".

El "siervo sufriente" se presenta como una figura sacrificial, una persona que, en nombre de toda la nación, se ofrece por los pecados de muchos. Su grandeza consistirá no en independencia personal y poder político, sino más bien en su disposición a soportar el peso del pecado, a quitarle poder al pecado desde dentro. En una palabra, la Alianza de la cual habla Jeremías (esa escritura de la ley en los corazones del pueblo) se efectuaría a través del siervo sacrificial de quien habla Isaías.

Jesús se encuentra con las mujeres de Jerusalén

Cuando Jesús fue llevado al Calvario, un gran número de personas lo siguió, incluidas las mujeres lloronas de Jerusalén. Jesús se volvió hacia ellas y habló como juez del mundo, diciendo, "Hijas de Jerusalén, no lloren por mí, sino lloren por ustedes y por sus hijos".

El Nuevo Testamento insiste en que Jesús nos muestra que somos pecadores (él es juez) y nos ofrece la salida del pecado (él es el salvador). Cuando uno u otro de estos énfasis se pierde, nuestro camino espiritual se ve comprometido de manera decisiva, ya sea por exceso de confianza o por terror. Cuando ambos están estresados adecuadamente, nuestro camino espiritual se abre, porque sabemos que *debemos* caminarlo y *podemos* caminarlo.

En Jesús de Nazaret, la propia mente de Dios se hizo carne—es decir, el patrón del ser de Dios apareció en el tiempo y el espacio. Colosenses nos dice que Jesús es la "imagen perfecta", el eikon del Padre. Y así, su llegada fue en sí misma un desafío para todo lo que no está en conformidad con el patrón divino. En su persona misma está el reino, el ordo divino, y por lo tanto, su presencia es la luz en la que se manifiesta el desorden de todos los reinos terrenales. En este sentido, cada movimiento, cada palabra, cada gesto, constituían el juicio de Dios sobre el mundo, porque en la medida en que se le oponían, aclaraba la naturaleza disfuncional de sus oponentes. Cuando Juan el Bautista habló de la venida del Mesías, usó una imagen inquieta: "Tiene en su mano la horquilla y limpiará su era: recogerá su trigo en el granero y quemará la paja en un fuego inextinguible". El agricultor de la Palestina del primer siglo colocaría el trigo recién cosechado en el suelo del establo y luego, utilizando una especie de horquilla, lanzaría el grano al aire, forzando la paja más ligera a separarse del trigo utilizable. Por lo tanto, la presencia de Jesús sería un gran aventador, un agente de separación y clarificación.

Y en ninguna parte es más evidente este juicio que en su muerte violenta. Jesús no simplemente falleció; fue asesinado, ejecutado por orden del gobernador romano y con la aprobación del establecimiento religioso. Como lo expresó Pedro en la predicación kerygmática más antigua en los Hechos de los Apóstoles: "Y mataste al Autor de la vida, a quien Dios resucitó de entre los muertos". La implicación del discurso de Pedro, por supuesto, es que ustedes, los asesinos, se han revelado como los enemigos de la vida. Y el "ustedes", como el mismo Pedro sabía con una visión especial, incluía no solo a las clases dominantes romanas y judías, sino a todos, incluso a los seguidores más íntimos de Jesús.

Todos los grupos sociales de la época de Jesús (fariseos, saduceos, zelotes, esenios, sacerdotes del templo, ocupantes romanos, discípulos cristianos) tenían esto en común: estaban, al final del día, opuestos a Jesús. En el momento de la verdad, "todos huyeron". Bob Dylan dijo: "El enemigo que veo / usa el manto de la decencia". Una treta favorita de los pecadores es envolverse en el manto de la respetabilidad; Jesús, el juez, es el que arranca la capa, develando literalmente, "revelando" la verdad de las cosas. Cuando nos sentimos tentados a pensar que todo está bien con nosotros, levantamos la cruz de Jesús y dejamos que nuestras ilusiones mueran.

Jesús cae por Tercera Vez

¿Por qué Jesús soportó el terrible peso de la cruz—una cruz tan pesada que le hizo caer no sólo una ni dos sino tres veces?

Porque si el peso del pecado hubiera sido tratado sólo desde la distancia, sólo a través del *fiat* divino, no habría sido verdaderamente conquistado; pero cuando es resistido por alguien que está dispuesto a someterse plenamente, se lo hace explotar desde adentro, socavándolo, derrotándolo. Esta es la estrategia de Jesús, el Cordero de Dios.

Lo vemos en un buen número de escenas del Evangelio donde Jesús está cansado después de su contacto con los enfermos, los perdidos, los pecadores. Al comienzo del Evangelio de Marcos, encontramos el relato de un día típico en el ministerio de Jesús. La gente lo presiona por todos lados, obligándolo a buscar refugio en un bote para no ser aplastado por la multitud, y en un momento dado, hay tantos suplicantes que lo rodean que ni siquiera puede comer. Marcos nos dice que Jesús fue a un lugar apartado para orar, pero incluso allí lo buscaron y llegaron a Él por todos lados.

En la magnífica narración del Evangelio de San Juan sobre la mujer en el pozo, escuchamos que Jesús se había sentado junto al pozo de Jacob "fatigado del camino". Esta descripción es bastante directa a un nivel literal: ¿Quién no estaría cansado después de una caminata matutina a través de una zona seca? Pero así como San Agustín y otros nos recuerdan, tiene otro sentido en el nivel místico. Jesús está cansado de su viaje de la encarnación hacia el pecado humano y la disfuncionalidad, representado aquí por el pozo. "El que bebe de esta agua tendrá nuevamente sed", le dice Jesús a la mujer, indicando que el pozo es algo emblemático del deseo errante, la tendencia a llenar el anhelo por Dios con los bienes transitorios de la creación: dinero, placer, poder, honor. Para lograr un cambio en ella, el Cordero de Dios tenía que estar dispuesto a entrar en su mundo disfuncional y compartir el cansancio espiritual de él. J.R.R. Tolkien apreciaba mucho esta dinámica del sacrificio. Su gran figura semejante a Cristo, el hobbit Frodo, logró la salvación de la Tierra Media precisamente a través de entrar en el corazón de la tierra de Mordor, quitando poder a ese lugar terrible a través de su humilde disposición a soportar todo el peso de la carga.

Sin embargo, todo esto no fue más que un anticipo del sacrificio final del Cordero de Dios. El enemigo final que tenía que ser derrotado, para que así Dios y su familia humana pudieran volver a sentarse en cómodo compañerismo, era la muerte misma. En un sentido muy real, la muerte (y el miedo a la muerte) están detrás de todo pecado, y por lo tanto, Jesús tuvo que viajar al terreno de la muerte y, a través del sacrificio, volver a la vida. Innumerables héroes en el curso de la historia humana han tratado de conquistar ese terreno usando armas, combatiendo la violencia con violencia y el odio con odio. Pero esa estrategia era (y sigue siendo) algo sin esperanza. El plan de batalla del Cordero de Dios es paradójico al extremo: conquistaría la muerte precisamente muriendo.

Jesús es despojado de
Sus vestiduras

Los soldados tomaron la ropa de Jesús y la dividieron en cuatro partes, una para cada soldado, y con su túnica la echaron a la suerte, cumpliendo con las palabras de los Salmos: "Se reparten entre sí mi ropa y sortean mi túnica". Cristo está despojado de todo: reputación, comodidad, estima, comida, bebida—incluso la ropa patética que cubría su espalda.

Santo Tomás de Aquino dijo que si alguien quiere ver la perfecta ejemplificación de las bienaventuranzas, tiene que mirar a Cristo crucificado. Puntualizó esta observación de la siguiente manera: si quieres bienaventuranza (felicidad), desprecia lo que Jesús despreciaba en la cruz y ama lo que Él amó en la cruz.

¿Qué despreció Cristo en la cruz, sino las cuatro adicciones clásicas—riqueza, placer, poder y honor? En la misma raíz del pecado está el miedo, especialmente el miedo a la muerte. Para contrarrestar ese miedo, las personas engrandecen el ego, decorándolo con la aprobación de los demás o llenándolo de bienes mundanos. Pero el Jesús crucificado estaba completamente separado de la riqueza y los bienes mundanos. Fue desnudado, y sus manos, fijadas a la madera de la cruz, no podían agarrar nada. Más que eso, fue separado del placer. En la cruz, Jesús sufrió el tipo de tormento físico más agonizante, un dolor que era literalmente excruciante (ex cruce, de la cruz), pero también experimentó el extremo del sufrimiento psicológico e incluso espiritual. Estaba privado de poder, incluso hasta el punto de no poder moverse o defenderse de ningún modo. Finalmente, en esa terrible cruz, estaba completamente separado de la estima de los demás. En un lugar público no lejos de la puerta de Jerusalén, colgaba de un instrumento de tortura, expuesto a la burla de la multitud, mostrándose como un delincuente común. En eso, soportó el límite de la deshonra. De la manera más dramática posible, el Jesús crucificado demostró una liberación de las cuatro principales tentaciones que nos llevan lejos de Dios. San Pablo expresó este logro en un lenguaje típicamente vivencial: "Él clavó nuestros pecados en la cruz".

Pero, ¿qué es lo que amó Jesús en la cruz? Él amó la voluntad de su Padre. Su Padre lo había enviado a los confines más lejanos del olvido de Dios para llevar el amor divino hasta el lugar más oscuro, y Jesús amó esa misión hasta el final. Y fue precisamente su desapego de las cuatro grandes tentaciones que le permitieron transitar ese camino. Lo que amó y despreció estaban en un extraño equilibrio en la cruz. Pobre de espíritu, manso, en luto y perseguido, pudo ser puro de corazón, buscar la justicia por completo, convertirse en el pacificador definitivo y ser el conducto perfecto de la divina misericordia al mundo. Aunque es sumamente paradójico decirlo, el Jesús crucificado es, por lo tanto, un hombre de bienaventuranza, un hombre verdaderamente feliz. Y Jesús, despojado de sus vestiduras y clavado en la cruz, es el ícono de la libertad, porque está libre de esos apegos que le impedirían alcanzar el verdadero bien, que es hacer la voluntad del Padre.

Jesús es Crucificado

En la cruz, Jesús dijo: "Padre, perdónalos, porque no saben lo que hacen". Muriendo en un instrumento romano de tortura, permitió que toda la fuerza del odio y la disfunción del mundo lo inundaran y desgastaran. Y respondió no de un modo violento o con resentimiento, sino con el perdón. Por lo tanto, ha quitado el pecado del mundo (para usar el lenguaje de la liturgia), envolviéndolo en la divina misericordia.

En el Evangelio de Lucas, Jesús se compara a una gallina madre que anhela juntar a sus polluelos debajo su ala. N.T. Wright señala que esto es mucho más que una imagen sentimental. Se refiere al gesto de una gallina cuando hay fuego que está incendiando el granero. Para proteger a sus polluelos, ella se sacrificará, juntándolos bajo su ala y usando su propio cuerpo como escudo. En la cruz, Jesús usó, por así decirlo, su propio cuerpo sacrificado como escudo, absorbiendo toda la fuerza del odio y la violencia del mundo. Entró en la más cercana convivencia con el pecado (porque ahí es donde nos encontramos los pecadores) y permitió que el ardor y la furia del pecado lo destruyeran, incluso cuando nos protegía. Con esta metáfora en mente, podemos ver, con especial claridad, por qué los primeros cristianos asociaron a Jesús crucificado con el siervo sufriente de Isaías. Al soportar el dolor de la cruz, Jesús ciertamente cargó nuestros pecados; por sus heridas fuimos sanados.

Por el sacrificio final de Jesús, sumo sacerdote, la vida eterna se ha puesto a disposición de toda la humanidad. El sacrificio de la Misa es una participación en este gran acto eterno mediante el cual Jesús entró por nosotros en el santuario celestial con su propia sangre y regresó trayendo el perdón del Padre. Cuando el sumo sacerdote salía del santuario y rociaba a la gente con sangre, se entendía que estaba actuando en la misma persona de Yahvé, renovando la creación. Habiendo ofrecido el sacrificio supremo, Cristo sacerdote se presenta en cada Misa con su vida, y el universo se restaura. Lo que realiza el sacerdote en el altar no es más que una manifestación simbólica de esta realidad mística, y por ello se lo describe como actuando *in persona Christi* (en la persona de Cristo).

Aunque sólo un sacerdote ordenado puede presidir la Misa y efectuar la transformación Eucarística, todos los bautizados participan en la Misa de manera sacerdotal. Lo hacen a través de sus oraciones y respuestas, pero también, como se indica en *Lumen Gentium*, uniendo sus sacrificios y sufrimientos personales al gran sacrificio de Cristo. Así, un padre es testigo de la agonía de su hijo en el hospital; una madre soporta la rebeldía de su hija adolescente; un joven recibe la noticia de la muerte de su hermano en el campo de batalla; un anciano da vueltas en la cama con ansiedad pensando sobre su insegura situación financiera; un estudiante lucha por completar su tesis doctoral; un niño experimenta por primera vez la ruptura de una amistad muy cercana; un idealista enfrenta la resistencia obstinada de un oponente cínico. Estas personas pueden ver su dolor como un sufrimiento simple y tonto, el rechazo de un universo indiferente. O podrían verlo a través de la lente que nos brinda la muerte sacrificial de Jesús, apreciándolo como el medio por el cual Dios nos está acercando más a Sí mismo.

Jesús muere en la Cruz

En el Evangelio de Marcos, lo último que escuchamos de Jesús es un grito visceral: "Entonces Jesús, dando un fuerte grito, expiró". Pero en el Evangelio de Juan, en el que se enfatiza constantemente el sacerdocio de Jesús, encontra-mos, justo antes de la muerte de Jesús, una palabra litúrgica. La versión en latín de este pasaje dice *consummatum est*: se ha consumado. Esta es una afirmación sobre un trabajo que se ha hecho, que algo se ha realizado por completo. En el Nuevo Testamento escuchamos con frecuencia el lenguaje del cumplimiento: "para que las Escrituras puedan cumplirse" y "en cumplimiento de las Escrituras". Jesús se vio a sí mismo como el clímax de una historia, como el capítulo culminante de un libro, como el punto de inflexión de un gran drama. Si no conocemos el contorno del drama, no lo conoceremos a Él.

Y el drama involucra una operación de rescate que Dios lanza educando al pueblo de Israel según su propio corazón. Cuando el mundo fue por el mal camino debido al pecado, Dios se esforzó por formar una familia que lo conociera y lo adorara correctamente. Este proceso comienza con Abraham y la Alianza que realiza con él. Continuó a través de Moisés y David, mientras Dios realizaba más Alianzas con ellos. Quería formar un pueblo sacerdotal, un pueblo de la ortodoxia, de alabanza correcta. Estas personas orientadas apropiadamente se convertirían en un imán para las demás naciones del mundo. "El Monte Sión, verdadero polo de la tierra, allí todas las tribus subirán, las tribus del Señor". Aunque Dios siempre fue fiel, el pueblo de

Israel vaciló. Aunque los profetas los llamaron a regresar a la fidelidad de la Alianza, no los escucharon. A pesar que el Templo había sido establecido como lugar de alabanza correcta, este se corrompió. E Israel no era un imán para las otras naciones, sino un sirviente bajo sus pies. Israel fue esclavizado por Egipto, invadido por Asiria, Babilonia, Grecia y Roma. Más aún, las tribus de Israel, en lugar de reunirse en el Monte Sion, se habían dispersado. Y así, Israel comenzó a soñar con un nuevo Rey David, una figura que cumpliría todas sus expectativas y completaría el rescate de Dios.

El autor del Evangelio de Juan era un maestro de la ironía, y uno de sus pasajes más sutiles tiene que ver con el signo que Poncio Pilato coloca sobre la cruz de un Jesús moribundo: *Iesus Nazarenus Rex Iudaeorum* (Jesús de Nazaret, Rey de los Judíos). El gobernador romano lo dice, por supuesto, como una burla, pero el signo—escrito en los tres idiomas principales de ese tiempo y lugar, hebreo, latín y griego—de hecho convirtió a Pilato, sin saberlo, en el primer gran evangelista. El rey de los Judíos, en las lecturas del Antiguo Testamento, estaba destinado a ser el rey del mundo—y esto es precisamente lo que Pilato anunció. Incluso en el Calvario, cuando solo había tres personas, la Iglesia de Jesús, su comunidad, era católica, porque estaba destinada a abrazar a todos. En Pentecostés, los discípulos, reunidos en la sala de arriba, se llenaron del Espíritu Santo y comenzaron a predicar las buenas nuevas. Fueron escuchados, milagrosamente, en todos los idiomas de aquellos que se habían reunido en Jerusalén para la fiesta de los Tabernáculos. Como claramente lo vieron los Padres de la Iglesia, esto fue la reversión de la maldición de Babel, cuando el lenguaje de la raza humana se dividió y las personas, en consecuencia, se enfrentaron entre sí.

Ahora, a través del anuncio del Señorío de Jesús, los muchos idiomas vuelven a ser uno, ya que este mensaje es el que todas las personas, en tiempo y espacio, nacieron para escuchar: Jesús es el nuevo Rey.

Jesús es bajado de la Cruz y puesto en los brazos de María

Después de la crucifixión, bajaron a Jesús de la cruz y lo pusieron en los brazos de María—una escena famosa reflejada en la icónica *Piedad* de Miguel Ángel.

Durante cinco siglos, eruditos y admiradores han hecho hincapié en la serenidad y juventud del rostro de María en la *Piedad*. María, suponemos, habría tenido al menos cuarenta y cinco o cincuenta años al momento de la crucifixión. Y, sin embargo, Miguel Ángel la retrata como una mujer joven, quizás de un poco más de veinte años.

Lo que nos muestra Miguel Ángel no es sólo una María histórica, sino también María como una nueva Eva, la madre siempre joven de la Iglesia. Miguel Ángel fue, a lo largo de su vida, un gran devoto del poeta Dante. Al final de la *Divina Comedia* encontramos una famosa frase, colocada en los labios de San Bernardo mientras canta alabanzas a la madre de Dios: "Virgen Madre, hija de tu Hijo, humilde y exaltada, más que ninguna otra criatura". Puesto que el hijo de María, según la carne, es también la Palabra divina a través de la cual se hacen todas las cosas, María es, ciertamente, madre e hija de Cristo. Miguel Ángel sugirió esta relación única y absoluta en la juventud de la madre de Jesús.

Una de las características más extraordinarias de la *Piedad*, desde un punto de vista puramente estructural o compositivo, es cómo Miguel Ángel logró que las figuras de Jesús y María se vieran tan naturales y elegantes juntas, a pesar que lo que se está presentando es a una mujer que sostiene el cuerpo de un hombre adulto en su regazo. De hecho, el cuerpo de María es significativamente más grande que el de Jesús. Ella lo contiene. En las maravillosas palabras de la hermana Wendy Beckett, ella es como una gran montaña, y el cuerpo de Jesús es como un río que fluye hacia abajo. Los Padres de la Iglesia compararon a María con el Arca de la Alianza, el receptáculo de los Diez Mandamientos, que los antiguos israelitas apreciaban como la morada de Dios. Así es que María, quien llevó el Verbo encarnado en su propio vientre materno, se convierte en el Arca de la Alianza por excelencia.

Según los relatos del Evangelio, María, habiendo dado a luz a Jesús, lo colocó en un pesebre, el lugar donde comen los animales. En el punto culmine de su vida, Jesús se convertiría en alimento para la vida del mundo. Miguel Ángel representa la mano izquierda de María en un gesto de ofrenda, como si ella lo estuviera presentando como un regalo. (Este mismo gesto se encuentra en aquella escena especialmente evocadora de *La Pasión de Cristo* cuando María, marcada con la Sangre de Jesús, presenta el sacrificio de su Hijo por nosotros y para nosotros). Su mano derecha lo sostiene pero lo toca de manera indirecta, a través de su prenda. Ambas son referencias Eucarísticas. La Iglesia ofrece continuamente el cuerpo de Jesús bajo las formas del pan y el vino. Y cuando el sacerdote muestra el Santísimo Sacramento, sólo toca la custodia a través de un velo. Tengamos en cuenta que la escultura estaba destinada a ser un retablo—es decir, algo estrechamente asociado con la celebración de la Misa. Lo que vemos en la *Piedad*, la imagen de la Virgen Madre que acuna a su Hijo, es lo que vemos en la Misa—es decir, la ofrenda del cuerpo de Jesús crucificado para la vida del mundo.

Jesús es colocado en el Sepulcro

José de Arimatea, un discípulo secreto de Jesús, concurre con valentía a pedir el cuerpo del Señor, y un grupo de mujeres que habían acompañado a Jesús desde Galilea observaban cuidadosamente para ver dónde era enterrado. Cuando sus enemigos lo acechaban e incluso sus discípulos más íntimos huyeron con miedo, estas personas se quedaron con Jesús hasta el final. Lucas dice acertadamente que las mujeres habían "seguido" el cuerpo de Jesús hasta su lugar de descanso, el discipulado del Señor se completaba y era consistente. Jesús desea ir a la cruz porque ama la voluntad del Padre; y por lo tanto, aquellos que lo aman—que desean lo que Él quiere—van al mismo amargo final. En el Evangelio de San Juan, escuchamos que Jesús es enterrado en un sepulcro nuevo que estaba situado en un jardín, lo cual señala la renovación del Edén, el camino de regreso al jardín del cual fuimos exiliados debido al pecado.

Las tres mujeres vienen como podríamos esperar que venga cualquier visitante a un sepulcro: tienen aceite y la intención de honrar el cuerpo de Jesús. Podríamos imaginarlas sentadas en silencio reverencial después, reflexionando sobre la vida y las palabras de su amigo, expresando admiración por Él y la tragedia de su muerte.

Pero este no es un sepulcro ordinario. Lo primero que notan es que la piedra ha sido rodada. Esto podría haber sido el resultado de ladrones de tumbas, alguien que intentó entrar y profanar su interior. Apenas comienzan a darse cuenta de que es el resultado de que alguien se ha escapado.

Luego el relato dice que, "Ellas salieron corriendo del sepulcro, porque estaban temblando y fuera de sí. Y no dijeron nada a nadie, porque tenían miedo". Este sepulcro no es la fuente de paz y descanso, meditación tranquila y pensativa. Esta tumba es fuente de terror y agitación. Los sepulcros son comúnmente lugares de finalidad e inevitabilidad; esta tumba es un lugar de una novedad tan impactante que asusta a las personas. Del sepulcro de Jesús, aprendemos que las supuestas leyes de la naturaleza no son leyes después de todo, que lo que siempre se movió de una manera ahora se mueve de otra. Algunas personas piensan que harán de la Resurrección algo más inteligible, más aceptable para la gente moderna, si la alegorizan, convirtiéndola en un vago símbolo de perduración de la causa de Jesús. Pero entonces su sepulcro no sería aterrador; sería como la tumba de cualquier héroe ordinario, triste, melancólico, tranquilizador.

La Evangelización—la proclamación de las buenas nuevas, el Evangelio, el euangelion—tiene que ver con la resurrección de Jesucristo de entre los muertos. En cada página del Nuevo Testamento, uno puede discernir la emoción nacida de algo completamente nuevo e inesperado: que Jesús de Nazaret, quien murió en una cruz y fue enterrado en un sepulcro, fue resucitado por el poder de Dios.

Todo lo demás en la vida cristiana fluye de esta tumba vacía y está relacionado con ella.

Todas las imágenes del Vía Crucis corresponden a la Iglesia de Todos los Santos en Blato, Isla de Korula, Croacia.

Conclusión

Amigos,

¡En nombre del Señor resucitado, saludos! La Cuaresma ha terminado y hemos pasado ahora a la Pascua. ¡Aleluya!

Me gustaría darles las gracias por acompañarme en este viaje a través del tiempo de Cuaresma. Ahora que hemos terminado, puede que se pregunten, ¿cómo seguir? ¿Cómo mantener el impulso espiritual desarrollado durante la Cuaresma? Me gustaría brindar algunos consejos prácticos.

Primero, asegúrense de seguir "Word on Fire en Español" en Facebook, Twitter, Instagram y YouTube para obtener contenido diario en español, todo diseñado para ayudar a fortalecer su fe y evangelizar la cultura. ¡Lo mejor de todo es que es completamente gratis!

Adicionalmente a esos recursos gratis, los invito a unirse al nuevo Word on Fire Institute. Este es un núcleo online de profunda formación espiritual e intelectual, donde recorrerán cursos dictados por mí y por otros colegas. Nuestro objetivo es formar un ejército de evangelizadores, personas que han sido transformadas por Cristo y quieren llevar su luz al mundo. Descubran más e inscríbanse en https://wordonfire.institute.

Finalmente, consideren continuar el progreso cuaresmal basando sus vidas más concretamente en la Eucaristía, que es lo que nos mantiene vivos espiritualmente. ¿Solo van a Misa los domingos? Comprométanse y asistan a una misa adicional por semana. ¿Hay alguna capilla cercana que ofrezca Adoración Eucarística? Regístrense para la hora semanal de meditación y oración ante el Santísimo Sacramento. La Eucaristía es el alfa y el omega del discipulado cristiano. Es la energía sin la cual un cristianismo auténtico se agota.

Gracias nuevamente de parte de todos nosotros en Word on Fire, ¡y que Dios los bendiga durante esta temporada de Pascua!

Paz,

+ Robert Barron

Obispo Robert Barron